もくじ

登場人物

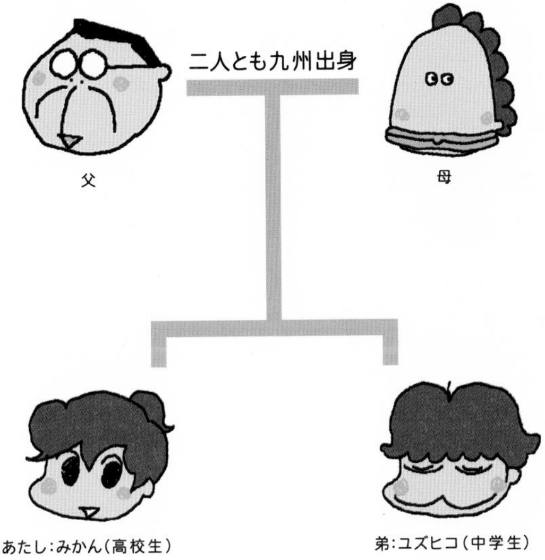

あたしンち
No.1〜No.32

No. 1

外《そと》での父《ちち》は
ドャドャ
この電車は急行○○行き…
ん…
ストン

あら〜
すみませ〜ん
ありがとうございます
いがいと腰《こし》が軽《かる》い

別《べつ》の日《ひ》
ビュー
カポーン
ガッシャーン
ビョー
……
ひょい

ひょい
ひょい
かなり腰が軽い
ひょいっ
しかし
……
はいざら
ホラ
落《お》ちる落ちる
あーーはいはい
家《いえ》での父は 腰が重《おも》い
ポトッ
別の日
ズズッ
おーいティッシュ
えー?なんか言《い》った?

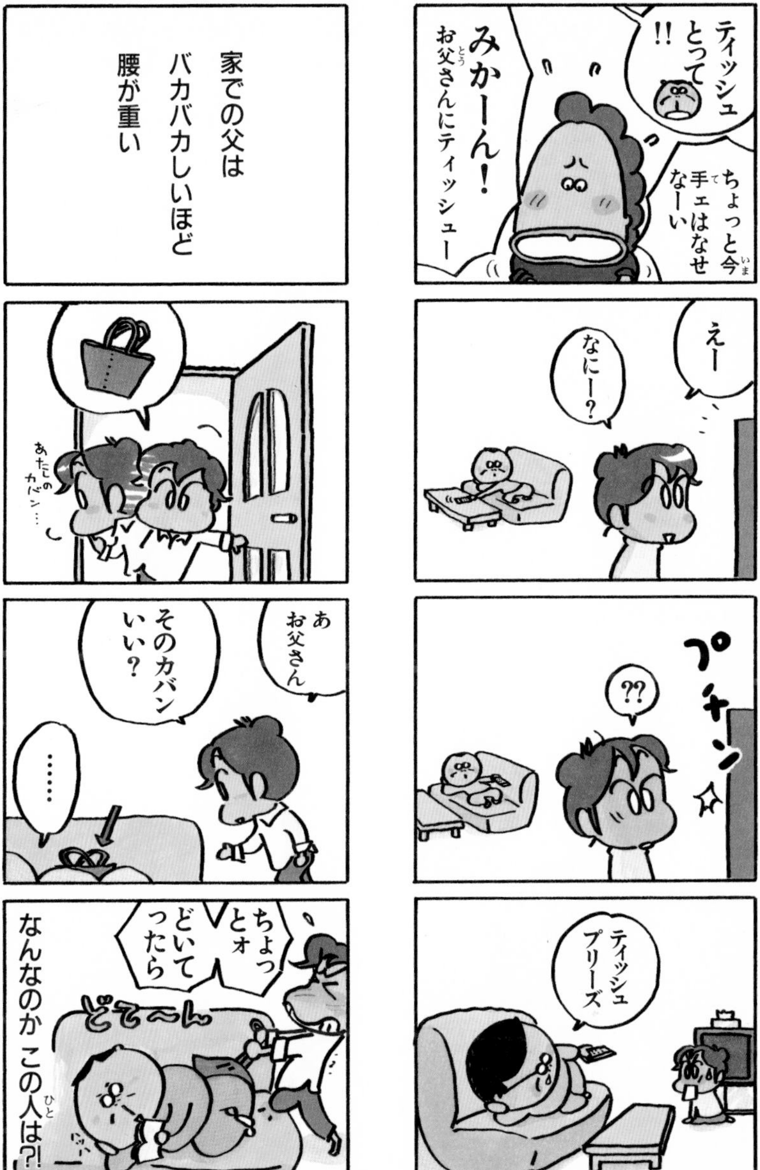
ティッシュとって
!!
ちょっと今《いま》手《て》ェはなせなーい
みかーん！
お父《とう》さんにティッシュー
えー
なにー？
プチン
??
ティッシュプリーズ
家での父は
バカバカしいほど
腰が重い
あたしのカバン…
あ
お父さん
そのカバンいい？
……
ちょっとォ
どいてったら
どて〜ん
なんなのか この人《ひと》は?!

No.2

トイレトイレ…
パチッ
パチッ
あ電気《でんき》切《き》れてる!
えーと60W電球《でんきゅう》は…
ピルルルル
ピルルル
はーいはいはい
昼間《ひるま》は母《はは》のやりっぱなし天国《てんごく》

♪ルールルル～ラ～ラララ～……
……
…ん?
あたし今《いま》…何《なに》かやりかけて
そうだ
みりんの買《か》いおき探《さが》してたんだワ
これはお酒《さけ》…
これはお酢《す》か…
あ、オシッコいきたい…

わッ
電気切れてる
パチッ パチッ
…ってコレもう2回目《かいめ》——!?
ジョジョ〜〜
……
他《ほか》にも
プリンの食《た》べかけ
せっけんのつめかえかけ
防虫剤《ぼうちゅうざい》入《い》れかけ
などが——
ただいまー
この廊下《ろうか》なに〜？
置《お》いといて〜
それ途中《とちゅう》だから〜
途中…？
ちょっと
こんなんも脱《ぬ》ぎっぱなし
あー！それは置いてあんの
さっき一回はいただけだからまたはくのッ
ただいまー

……
ティッシュが…
……
あーそれ!!
え、ごめん
あ～あ バカ～
もう一回ハナかもうと思《おも》って置いてあったのに
すてちゃった…
なんだよ そりゃ!?
家《いえ》の物《もの》は全部《ぜんぶ》考《かんが》えがあって置いてあるんだから
さわんないでよ
ゾーキン…
じゃ これも?
もちろん!
そのままにしといてよ!
途中だから!!
2日後《ふつかご》…
やっぱ忘《わす》れてんだよ ……
モズのハヤニエみたいなもんか?
プス

No.3

ねー しみちゃん 今度《こんど》 ここのカフェ 行《い》ってみない ?
どこ?
あ
近《ちか》い
ねッ
しらなかったでしょ
カフェの本
○○駅《えき》に こんな オシャレな店《みせ》 あったんだ!
そーそー
行きたい でしょ〜?

OPEN
YoMi CaFE
ここだ!
ここの2F
へー…
ギシ
ギシ
ドキ
ドキ
カラン コロン♫
いらっしゃいませ——
YOMI CaFE

あれ？
洋服屋《ようふくや》さん!?
……
あのー ここ カフェじゃ…？
ええ やって ますよ
お洋服もございます
あそこ かア!?
…みかん
帰《かえ》ろう！の合図《あいず》
……うん
パチ パチ
じゃあ 並《なら》んで 座《すわ》ろっか…
スタ スタ
メニューです
MENU
はっぱ
…
…
ご注文《ちゅうもん》は？
コーヒーで…
抹茶《まっちゃ》ミルクで！

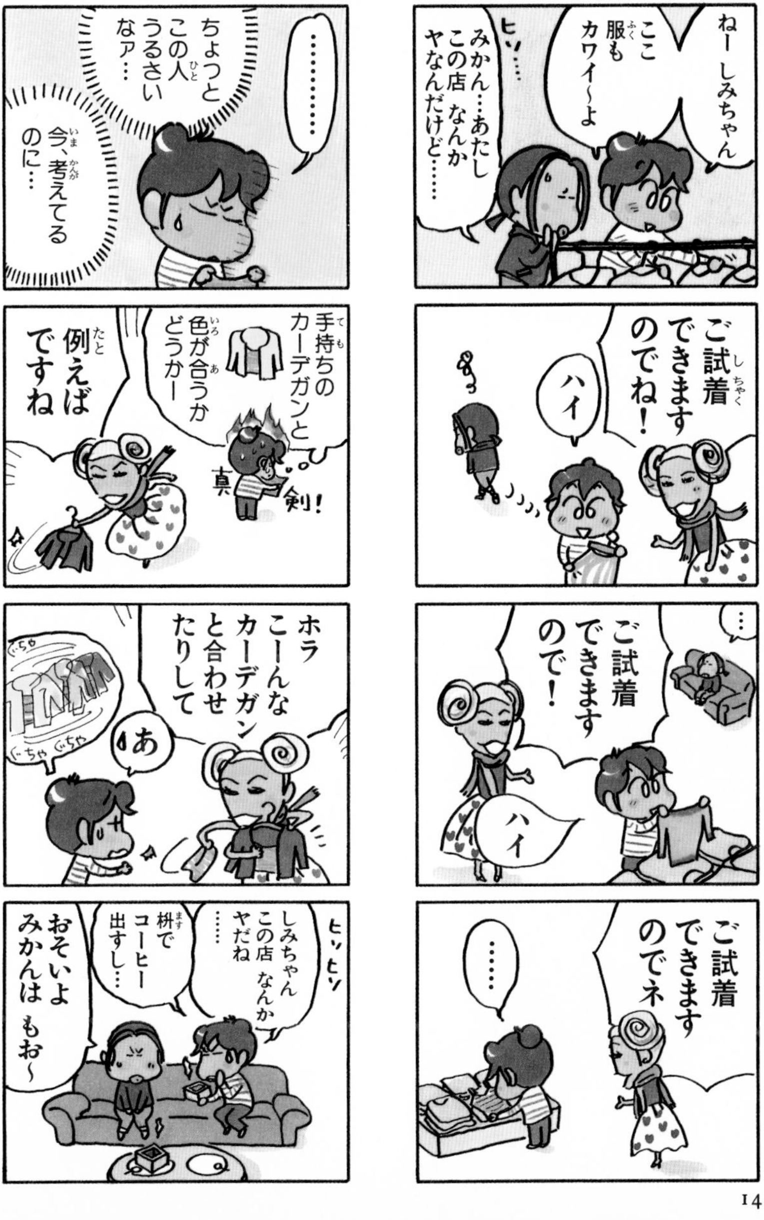

ねー しみちゃん
ここ 服《ふく》も カワイ～よ
ヒソ…
みかん…あたし この店 なんか ヤなんだけど……
ご試着《しちゃく》 できます のでね!
ハイ
…
ご試着 できます ので!
ハイ
ご試着 できます のでネ
……
……………
ちょつと この人《ひと》 うるさい なァ…
今《いま》、考《かんが》えてる のに…
手持《ても》ちの カーデガンと 色《いろ》が合《あ》うか どうかー
真剣!
例《たと》えば ですね
ホラ こーんな カーデガンと合わせ たりして
ぐちゃ ぐちゃ ぐちゃ
あ
ヒソヒソ
しみちゃん この店 なんか ヤだね ……
枡《ます》で コーヒー 出すし…
おそいよ みかんは もお～

No.4

ユズヒコ
が最近《さいきん》
ちょっと…
ボリボリ
…
前《まえ》はもーちょっと
カワイイかんじ
だったのに
ちんまり
なんか
むさくるしい!
ねぐせ
……
ようじ
ボリボリボリ
たてヒザ
スポーツ面《めん》

ん?
その
口《くち》のまわりの
ポヤーと
黒《くろ》いの……
?
あー
ヒゲ?
そー
じゃねーの
なんか…
ハムスター
みたい
ハム……!
チョリ
チョリ
チョリ
チョリ
チョリ
そってる

あと動作《どうさ》がうるさくてうっとーしい
ただいま～
ドスドスドス
ユズヒコの歩《ある》き方《かた》うるさーい
ドスドスドス
ティッシュティッシュ
シュッ
カポーン
部屋《へや》で ときどきあばれてるし
ユー！マンガ貸《か》して
少年《しょうねん》ジャンピョンどこ？
本棚《ほんだな》のトコ！
ハッ
シュッ
ドスーン
うるさいよ～～～
ねーちゃんのほうがうるさい…

…なんだ あれは
なんか力《ちから》が あり余《あま》ってるみたいで うっとーしい
あと 星《ほし》のキレイな夜《よる》に
わー 今日《きょう》 星が すごーい
ん？
ぶん ぶ〜ん♪
……
窓辺《まどべ》に座《すわ》って 自分《じぶん》に酔《よ》っている？
うっとーしい…!!
何《なに》してんの？
シュッ
いや…
ぷくく
今《いま》のは ちょっと かわいかったな

No.5

話題《わだい》の"泣《な》ける"ベストセラー
いつでも泣ける
すごく泣いちゃったー
だよねーあたしも
ユズヒコのクラスにて
ホントー?
あたしにも見《み》してー
いい話《はなし》だョ〜

…
……
うくっ
ど〜
やっぱあのシーン泣くよね…
あたしにもかしてー
ウン
…
何度《なんど》読《よ》んでも泣いちゃうよ
そう

…
………
ペラ
ペラ…
やばい泣けなかつた……
ねーチョー悲《かな》しいでしょ——
ほんとッ!
すごいいい本《ほん》!!
でしょでしょ!?
泣ける本か…
ワイワイ

最後《さいご》にきつと犬《いぬ》が死《し》ぬんだろうな…
読んだら泣くかもな……
あ
あたしもそれ読んだ!
やっぱ泣いた?!
うん…
あーもう表紙《ひょうし》見ただけでダメ——
ハイ…
へー
ピラッ

ピラッ
ピラッ
ピラ
あ…
ピラ
あれ
これでおわり?
泣けなかった……!!
!
!
ちょっと見してー
!!
ユズピの反応《はんのう》は……?!!
……
ピラ…
ピラ…
…
…
…
えー?これって犬じゃなくて飼《か》い主《ぬし》が死ぬんだ!?
そーだったんだーハハハハ
こりゃ一本《いっぽん》とられた
みんな涙《なみだ》がひきました
……

もーッ
探《さが》しちゃったじゃないのよーッ
あいかわらず父《ちち》は せっかちだ

No.6

日曜日《にちようび》
お父《とう》さん ちょっと待《ま》っててー
おまち下さい
おまち下さい
ぐっ
ぐっ
押ボタン式
押《お》してあるボタンを もっと押す
…
ぐい ぐい

ここ禁煙《きんえん》よ!
わかってる
喫煙《きつえん》コーナーのはるか手前《てまえ》でタバコをくわえる
今日《きょう》は父の服《ふく》を買《か》いにきた
YOMIURI
ねーお父さんあっちにいろいろ…
これ下《くだ》さい
もちろん試着《しちゃく》などする父ではない
お会計

それで
父のズボンは
いつもこんな
ベルトでギュー
かなり切る
試着しないからヘンなふうになっちゃうんだよ…
……
いらっしゃいませ
かといってあたしが買ってあげると
どーしてか気《き》に入《い》らないんだよねェ
そんなことないぞ
さていくか
まだ食《た》べてるでしょーッ
げふ
ハイッハイおまたせッ
あれッどこ？お父さん
あわただしい日曜日

No.7

母《はは》は合理性《ごうりせい》の鬼《おに》!
…
長考《ちょうこう》→
サラ
サラ
サラ
・〇×ベーカリー→食パン
・お直し→ウエスト4cm広げ
・本屋→婦人自身
・〒→払い込み
・喜久屋→柏もち
・薬局→ビール酵母
駅《えき》のむこうにいく用事《ようじ》は必《かなら》ず一度《いちど》にまとめる
お直し屋
喜久屋
〒
パン
薬
本
駅
自宅《じたく》の方角《ほうがく》
ムフ〜ン
かたづいた
かたづいた!
ハミガキの時《とき》も
シャコ
シャコ
キュッ
キュ
手《て》をムダにせず働《はたら》かせる
カチャッ
カチャッ
シャコ
シャコ

シャコ シャコ
ヴィ〜〜〜ン
ウィ〜
シャコ シャコ シャコ
こわ…
パー！
まだ うがい中《ちゅう》
ぐちゅ ぐちゅ ぐちゅ
シャワーの時《とき》も
①まず体《からだ》の前面《ぜんめん》を洗《あら》い
②裏《うら》がえって
前面を流《なが》しながら
後面《こうめん》を洗う
③最後《さいご》に後面を流しながら
フロそうじ！
トイレの時も
カラララ……
すわったとたん
ペーパーをひく
用《よう》を足《た》しながら
……
流せるトイレふき

トイレそうじ！
ごはんをつくる時も
だし
今《いま》、使《つか》い切《き》れば…
このビン明日《あした》の不燃《ふねん》ゴミに出《だ》せる！
どぼっ
しょっぱい！これ!!
うん！
……
お茶《ちゃ》ついでこよ…
あッコラ
右手《みぎて》が空《あ》いてる!!
そっち行《い》くなら、これ下《さ》げて!!
え〜
……
あー
また手ぶらで帰《かえ》ってきた！
お父《とう》さんのお茶くらい持《も》ってきなさい!!
え〜
ともかくムダにしない母

No.8

三角《みすみ》さん に
お茶《ちゃ》に誘《さそ》われた
洋菓子
ナントカ・ド・カントカ
このケーキでよかったかしら…
こんな町内《ちょうない》の店《みせ》の…
なんか ありゃいいでしょ
でも三角さん 急《きゅう》に何《なに》かしら?
話《はな》したいことでもあるのかしら?
雨《あめ》はイヤね……
聞《き》いてない

ザー
三角さんのマンション
雨の中《なか》わるいわね…
いーえー!! ちょうどおしゃべりしたいと思《おも》ってたのよ~
ズ……
ズ……
カチッ
フ~~ッ
…すさんでる

これ おかもちみたいね
三角さん
なにかよっぽどたまってるんじゃ…？
いくらご主人《しゅじん》が医者《いしゃ》で裕福《ゆうふく》でも
悩《なや》みはあるのね…
いいわよなんでも話して
私《わたし》でよければ！
私、昔《むかし》ずっと犬《いぬ》を飼《か》っててネ
ええええ！
そのコが死《し》んじゃった時《とき》は、何《なん》ヶ月《げつ》も泣《な》いて
もう二度《にど》と犬は飼わないって思ったんだけどね
あらぁ
何の話《はなし》がはじまるの？
ドキドキ
あたしは犬ダメ～！
かむから
た、たちばなさんッ
しーッ
そーなの…
でも犬はいいわよ
ウチも もう子供《こども》の手《て》が離《はな》れたし夫《おっと》もあんななんで

えっ？夫が…？
なに？？
三角さん おかわり いい？
たちばなさんッ!!
このマンション ペットOKなら 飼ったら？
うちのマンションはね エレベータに犬のおしっこさせた人《ひと》がいて！
それで ペットがダメになって
ああ…
いや〜ね
あーもう「夫」の話にはもどれない…
そーいや 昔はさ 野良《のら》犬って いたわよね！
あたし、広《ひろ》い空地《あきち》で 3〜4匹《ひき》の野犬《やけん》に 追《お》いかけられたことがあったわよ
だずげで
ワン ワン ワン ワン
ダッシュで 金《かな》あみに かけのぼって 命《いのち》びろい！
ワン ワン ワン
あははは
あのころは恐《こわ》かったわね〜!!
…
結局《けっきょく》何だったのかしら？ 三角さんの話…
さあ…

No. 9

母《はは》のポジティブシンキング
ハー
あたしって…
ちょっとクドいのかなー…？
ボソッ
なに？
だれかにそう言《い》われたの？
……

それは全然《ぜんぜん》気《き》にしなくっていいよ
なんでそー思《おも》うの？
え
だって みかんのいいところは
そのガンバリ屋《や》なトコだもん！
ガクー
もっとものごとポジティブに考《かんが》えなきゃ!!
やっぱクドいのか…
別《べつ》の日《ひ》

物理《ぶつり》もし
0点《てん》とったら
やっぱ卒業《そつぎょう》できない？
あたしって すごく 頭《あたま》わるい？
みかんは頭わるくないよ！
え…そう？
だって
お母《かあ》さんの子《こ》だもん
ガク
…
だいたい物理ができるなんて人《ひと》ちょっとおかしいのよ
天才となんとから
別の日
お母さんまた太《ふと》ったぁ？
ダイエットしなよ〜 成人病《せいじんびょう》もこわいし
服《ふく》だって困《こま》るでしょ〜？
…
…どーしてもっとポジティブに言《い》えないの？
お母さんはグラマラスとか!!
グ……
グラマラス…？

お母さんがポジティブすぎて困る!
なんでボクのへやでグチ……
でもお母さんて
そんなにポジティブな人じゃないでしょ…
えッ
このまえTVですごく苦労《くろう》した人が出《で》てきてさー
遠《とお》まわりしたからこそ今《いま》が幸《しあわ》せなんです
今は苦労に感謝《かんしゃ》してます
っていってゲストも感動《かんどう》したのに
うっ
……
「苦労に感謝」なんて…
そんな
負《ま》け惜《お》しみッ!!
プッ
――って
それはぜんぜん…
ポジティブシンキングじゃないね!!
で思ったんだ…
うん
アハハ
お母さんのは…
負け惜しみシンキング
おぉ
おぉ
ポン

No.10

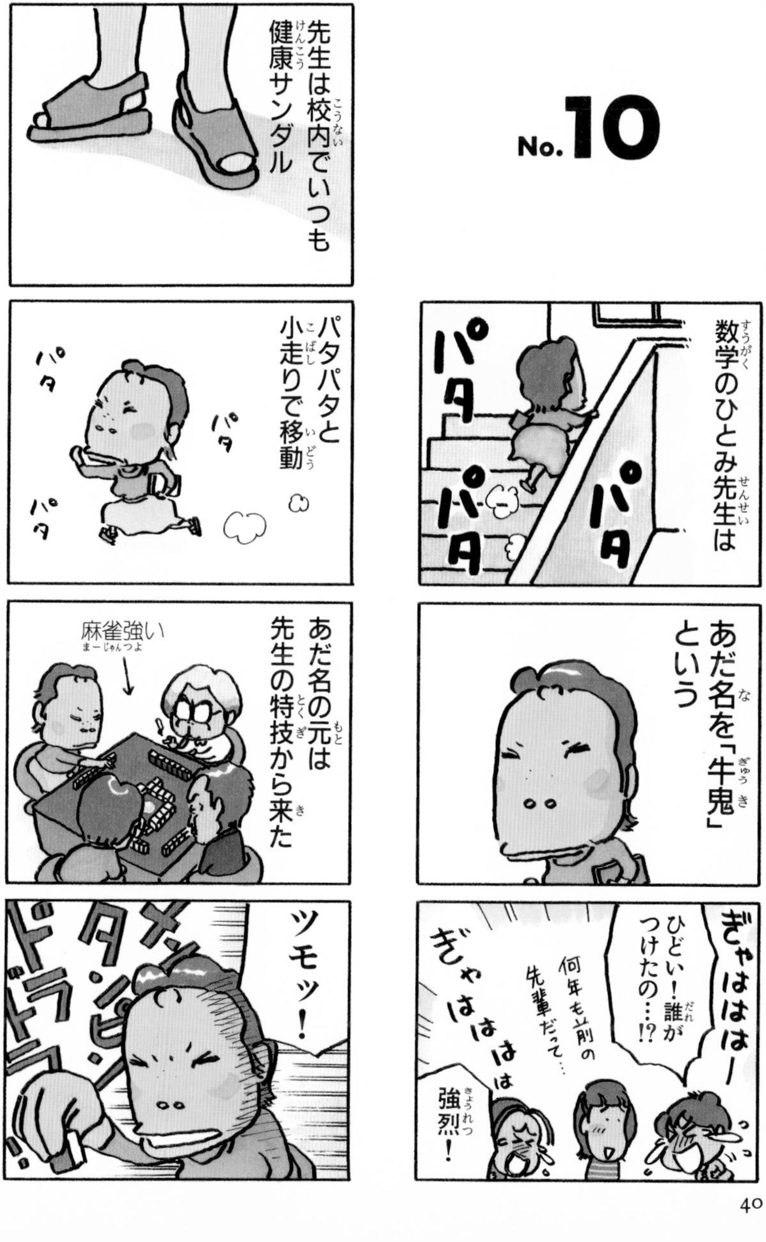
数学《すうがく》のひとみ先生《せんせい》は
パタ
パタ
パタ
あだ名《な》を「牛鬼《ぎゅうき》」という
ぎゃはははー
ひどい!誰《だれ》がつけたの…!?
何年も前の先輩だって…
ぎゃははははは
強烈《きょうれつ》!
先生は校内《こうない》でいつも健康《けんこう》サンダル
パタパタと小走《こばし》りで移動《いどう》
パタ
パタ
パタ
あだ名の元《もと》は先生の特技《とくぎ》から来《き》た
麻雀強《まーじゃんつよ》い
ツモッ!
メン・タンピン・ドラドラ!!

「雀鬼《じゃんき》」と呼《よ》ばれ、そこから「牛鬼」になったという
ロン！
牛鬼伝説《でんせつ》——
朝早《あさはや》く学校《がっこう》へ来《く》ると
チョイ〜〜ン……
…
職員室《しょくいんしつ》の鏡《かがみ》で牛鬼がヒゲをそっているらしい
チョイ〜〜ン……
あははは
ウソでしょ
でもそう聞《き》いたよ
あはは
はー…
あともいっこね…
先生《せんせい》の鼻《はな》の穴《あな》大《おお》きいじゃない？
最高《さいこう》に怒《おこ》るとあそこからミサイルがでるって…
あーははは
なにそれ
ははははは

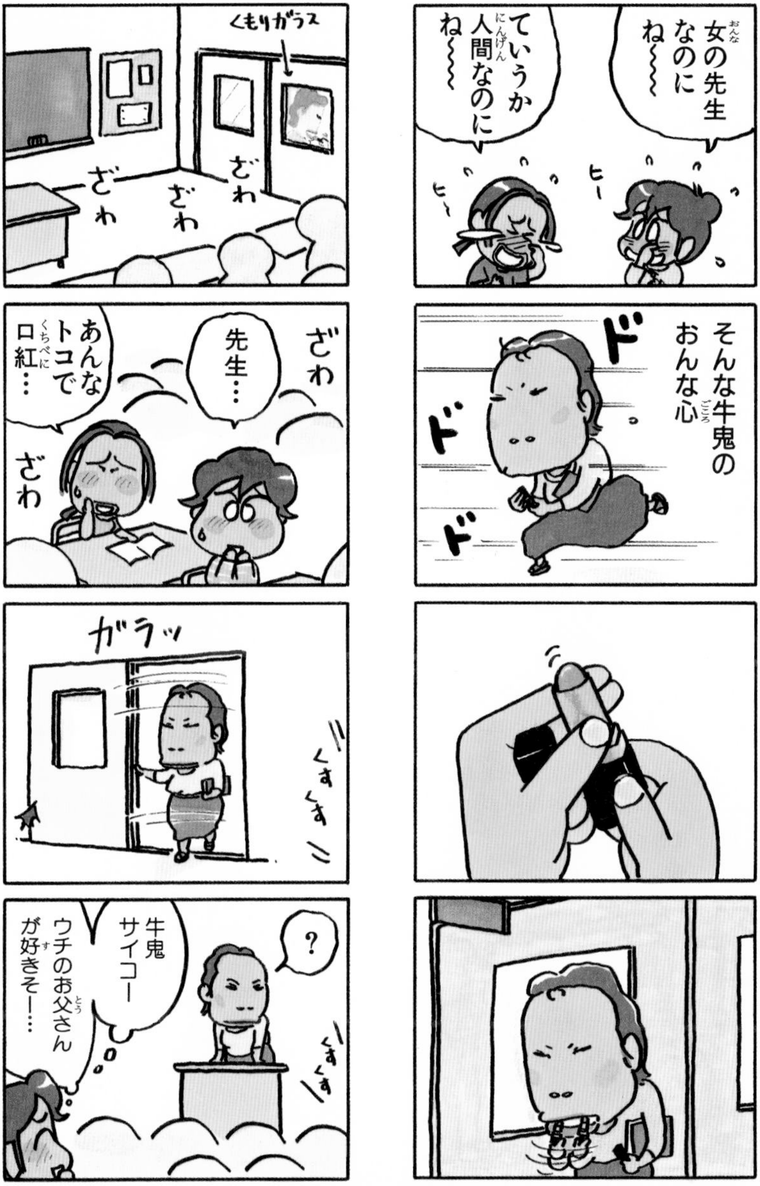
女《おんな》の先生なのにね〜〜〜
ていうか人間《にんげん》なのにね〜〜〜
ヒー
ヒ〜
そんな牛鬼のおんな心《ごころ》
ド
ド
ド
くもりガラス
ざわ
ざわ
ざわ
ざわ
先生…
あんなトコで口紅《くちべに》…
ざわ
ガラッ
くすくす
？
牛鬼サイコー
ウチのお父《とう》さんが好《す》きそー…
くすくす

No.11

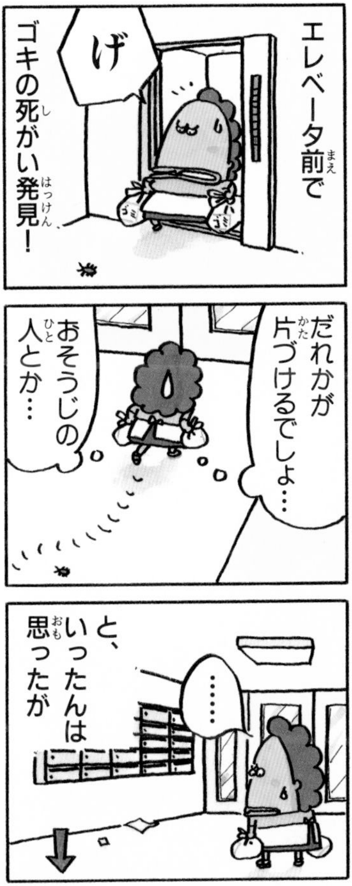
エレベータ前《まえ》で
げ
ゴキの死《し》がい発見《はっけん》!
だれかが片《かた》づけるでしょ…
おそうじの人《ひと》とか…
と、いったんは思《おも》ったが
……

どしたの?
片づけたのよお母《かあ》さんがッ
おそうじの人はいつ来《く》るかわかんないし
ほっといたらエレベータ降《お》りる人がみんなヤな思いするでしょ
ふ〜ん
えらいじゃん
いい?みかん…
善《よ》いことっていうのは
人の見《み》てないところでするもんなのよ
陰徳《いんとく》というのよ

ほめられたいとか感謝《かんしゃ》されたいとかじゃないのね
おかあさんは
……
せんべい
でも必《かなら》ず自慢《じまん》はする
あ、空豆《そらまめ》
お父《とう》さんのつまみね
……?何《なに》してんの
ここに切《き》り目《め》入《い》れておくと食《た》べやすいでしょ
このひと手間《てま》がお母さんの愛情《あいじょう》なわけ
お父さんが気《き》づかなくても
……
パク パク
お父さんそれ食べやすいでしょう
ゆですぎ
ガマンできない
別《べつ》の日《ひ》
♪
わ

こんどは
カタツムリ?
え
なんか
いっぱい
いる!
となりの子《こ》が
集《あつ》めた
カタツムリ
フタ開《ひら》いてる
あ……
あー
もー
しょう
がない
ねェ…
ぽとん
ペリ
はー
手《て》が
ヌルヌル
どしたの?
バタ
バタ
バタ
ワイ
ワイ
ん、
おとなり
帰《かえ》って来《き》た
?
わあ~っ
りんちゃん
見てごらん
!!
カタツムリさん
たち~~~
自分《じぶん》で
おうちに
帰ってる
よー
しゅごいね~
カタツムリが
自分で
おうちに
帰るかっちゅーのっ
あたしだ
っちゅーのっ
いーじゃないスか

No.12

みかん先輩《せんぱい》って
ちょっとボーッと
した人《ひと》だ…
ホームで電車《でんしゃ》を
待《ま》って
いても
あ、
電車
来《き》た
ゴゴゴ
ゴーゴーゴー

ガー
はっ
なんか 反応《はんのう》が
一瞬《いっしゅん》 おそい
…
ファミレスで
メニューを
選《えら》んで
いても

……
……
ご注文《ちゅうもん》お決《き》まりですか？
はっ
あっ…えーと
今《いま》まで何《なに》を考《かんが》えてたんだろう？
なんかよく…
はっ て、するんスよね…
マネてみた
はっ
新《にっ》田《た》…？
どうかした？
いや別《べっ》に…
あ…また？

カキ
カキ
メモってる…
なに書《か》いてるんスかー?
え
何《なん》でもない
みかんていつもそーやって何か書いてるよね
だってすぐ忘《わす》れちゃうから…
ねェよかったらちょっと見《み》せて
え〜
…じゃこっちだけね
今のはね「中敷《なかじ》き」と「マンゴスチン」……て
なに? マンゴスチンって
今日《きょう》吉岡《よしおか》たちとしゃべっててさー
あたしだけマンゴスチン知《し》らなくて
バカにされたの!
なにそれ!
しかもなぜメモる!?
ぎゃハハ
うんうん
あとで調《しら》べよーと思《おも》ったんスね
わかります
先パイはいつも次《つぎ》から次へと
そんなコトを思いついているんスね……!
ボーッとしてるんじゃなくて
あと「中敷き」って?
このクツデカいからインソール買《か》おうかと思って…
そんなコトを……
メニュー見ながら?

No.13
父《ちち》のきもちを読《よ》む母《はは》
ぎゃいぎゃい
なんでバイトしちゃいけないのッ?
コドモはお金《かね》なんか持《も》たなくていー—のッ
ぎゃー
ばさばさばさ
……お父《とう》さんもバイト反対《はんたい》よね?
ポイッ
………
……
……ンチッ
……!
?

……
…ンチッ
…じゃもういいよバイトしても
何《なん》で??
きゅうに
別《べつ》な日《ひ》
♪
野球《やきゅう》
あーそうそう見《み》たわよ　あたしも
プチ整形《せいけい》ね
ど～なんだろ
アハハハハ
あたしっ?
あたしはドカ整形じゃなきゃーだめよォ
……
プチン
ゴン
やっぱり整形は……
……
………
…ンチッ

あわわわ
あ じゃ 月《げつ》にね!
またね
?
ガチャ
何なの…?
このまえもそうだったけど
お父さんが怒《おこ》ってんのっ
?
お父さんが急《きゅう》に止《と》まってンチッて口《くち》を鳴《な》らしたら
よっぽど怒ってる時《とき》なのよ
ヘエ…知《し》らなかった…
夫婦《ふうふ》ってさすがだねー!
うといよみかんは…
いっしょに住《す》んでて…
しかし 夕食《ゆうしょく》の時
…ンチッ
げふ
!!
おかーさん…
なんか…
お父さん怒ってるよ……
…ンチッ
ズズー
ああ
これはちがうの
おかずが肉《にく》の日《ひ》はごきげんのンチッ…なのよね♡
なんじゃその法則《ほうそく》はっっ!
ンチッ

No.14

スー〜
そよ〜
夏《なつ》の午後《ごご》
床《ゆか》でねるのが
母《はは》のゴクラク

バタン
トテトテトテトテ
子供《こども》
帰《かえ》ってきた
…
ててて
みかんか…
ユズヒコ
か……

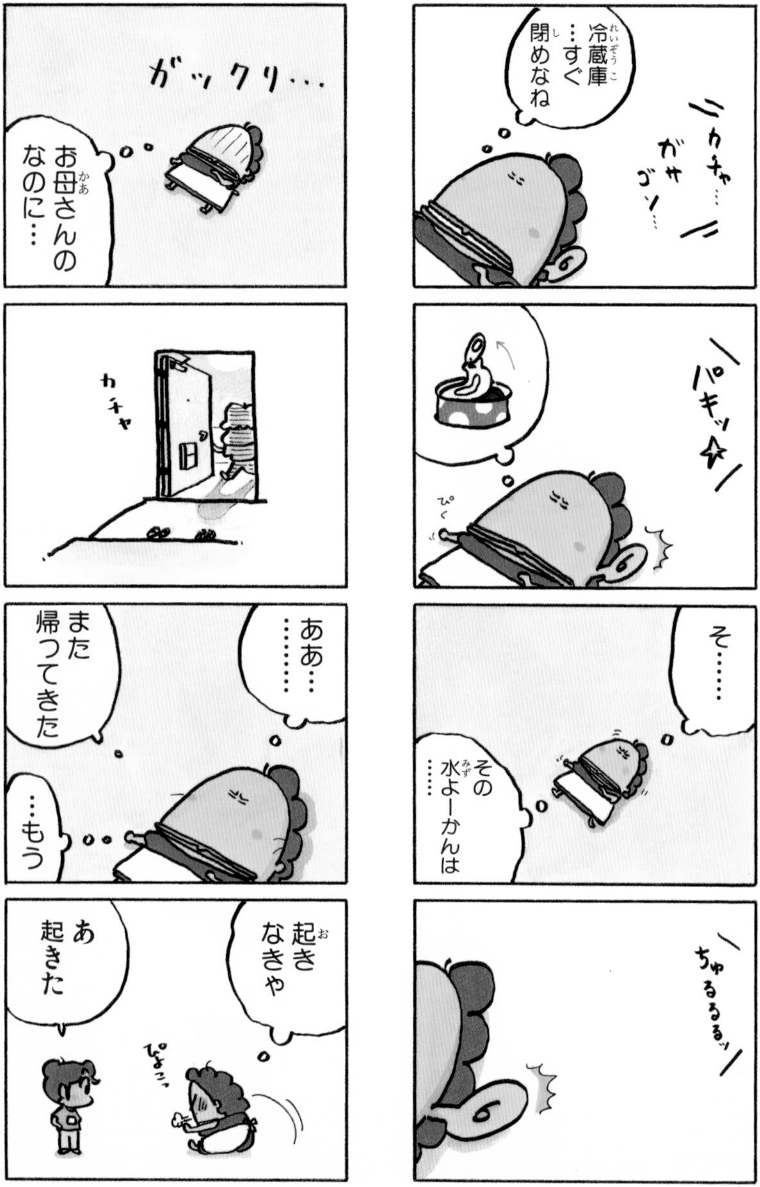

カチャ…
ガサゴソ…
冷蔵庫《れいぞうこ》…すぐ閉《し》めなね
パキッ
ぴく
そ……
その水《みず》よーかんは……
ちゅるるるッ
ガックリ…
お母《かあ》さんのなのに…
カチャ
ああ………
また帰ってきた
…もう
起《お》きなきゃ
ぴょこっ
あ起きた

えーと…この水よーかんもらっちゃった
知《し》ってるよ…
フワ〜
ただいまー
なにそれ?
わ
つるッ
ここワックスぬった?
……?
つぶねー
そこお母さんがねてたトコ
えーッ
あ〜も〜帰ってくるなり…
お母さんの油《あぶら》ですべるんだ!
きたねーッ!!
うるさいうるさいうるさーい
もーーー学校《がっこう》終《お》わりなの?
うん
あと終業式《しゅうぎょうしき》だけ…
おちおち昼寝《ひるね》もできない日々《ひび》のはじまり
やれやれ

No.15

夏休《なつやす》み
ミ〜ン
ミ〜ン
ミン
ボリ
ボリ
寝《ね》すぎた……
ファ〜
……?

……
ガラ〜ン
ひょっとして
今日《きょう》みんなルス?
ん?
シューてイ
冷庫蔵。
母
シューマイ食《く》っとけってことか…?
よくわからんメモだが
じゃ今日はひとつ
バム

のびのびしちゃおっかなー
エヘヘ
ガラ
ユーちゃんそれカラシつけたら?
まだいたのか……
……
はーはー
なにそんなビックリしん…
今《いま》の顔《かお》!
そーんなにおどろくことないのに…
プンプン
いーから早《はや》く行《い》って!
じ～っく
じ～っく
じ～っくっく
……
ぱくぱく
夏をのりきる
ヒント集
水風呂《みずぶろ》って…
いーかも…
♪
ズドドドドドド
雑誌
←のみもの

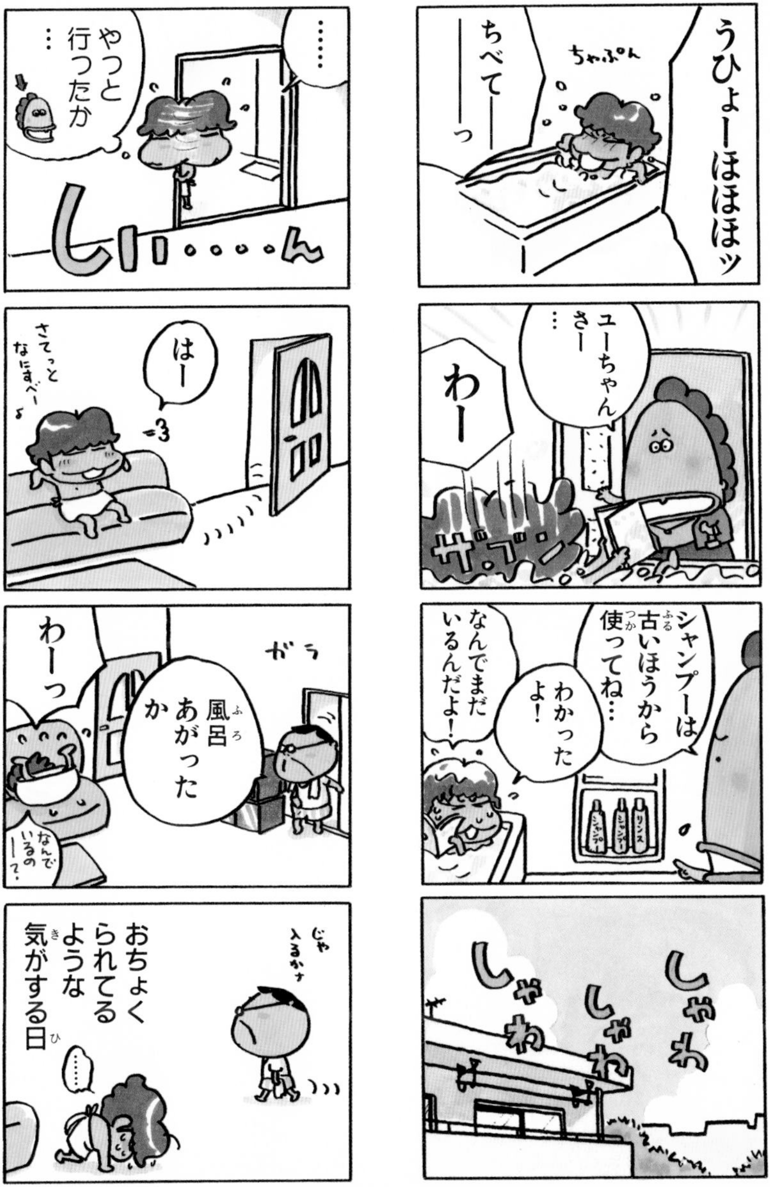

うひょーほほほッ
ちゃぷん
ちべてーっ
ユーちゃんさー…
わー
ザブン
シャンプーは古《ふる》いほうから使《つか》ってね…
わかったよ！
なんでまだいるんだよ！
しゃわしゃわしゃわ
……
やっと行ったか…
しー・・・・・ん
さてっとなにすべー♪
はー
ガラ
風呂《ふろ》あがったか
わーっ
なんでいるのーっ？
じゃ入るかナ
……
おちょくられてるような気《き》がする日《ひ》

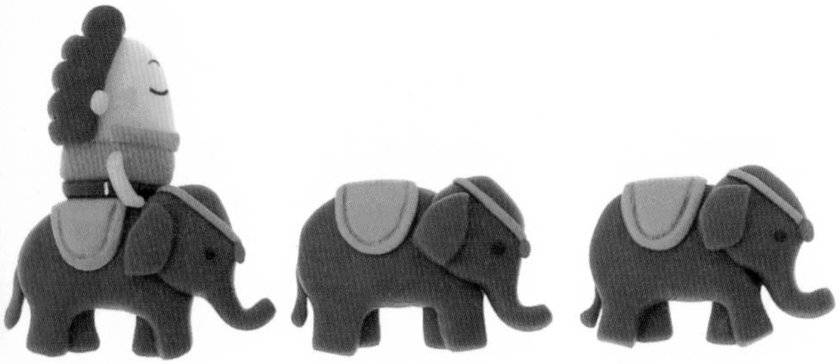

じと〜

No.16

居間《いま》のエアコンが
ゴゴゴ
ごォ〜
じょばじょば
ペッ
ペッ
最近《さいきん》おかしい
ブォー
ペッ
あっまたツバはいた
…と思《おも》ってたら
沈黙《ちんもく》…
こわれた
え〜
ビシ
ビシ
お母《かあ》さん…
暑《あつ》いよ〜
…
ハヒ
ハヒ
しょーがないでしょ…
せめて今日《きょう》カレーじゃなければなー
だってもう作《つく》っちゃってたんだから!

どっかーん
わはははははは
くだらん消《け》せ!
…
いつものバカ番組《ばんぐみ》が耐《た》えられないほどの暑さ
……子供部屋《こどもべや》にも
エアコンつけといてよかった
結局《けっきょく》、母《はは》はみかんの父《ちち》はユズの部屋《へや》で寝《ね》ることに
これもって!
マクラとってくるから
電気《でんき》……
ひゃ～…
え?
……
プチ
……
まじかよ～
スーカー
スーカー
まだ9時《じ》なのに

気《き》にしないで好《す》きにしてて
言《い》われなくてもそーしますっ
ぎゃっ
ぎゃっ
もーッ!!
大きくなっちゃうー
ペラ…
あっ
……
なに人《ひと》の日記《にっき》思いっきり読《よ》んでんのよっ!?
夏《なつ》の夜《よる》のハプニング——
なんか旅行《りょこう》みたいね…
いっしょにねて…
んー

No.17

チュイーン
また ココ 何《なに》かできるんだ……
今度《こんど》は何《なん》だろね?
ガー バリバリ
覚《おぼ》えてる?
昔《むかし》は本屋《ほんや》だったの…ここ
ああ! そーだ
いま思い出した!!

○○書店
そうそう本屋だった…
今考《いまかんが》えるとユメみたい…
こんな近所に本屋さん…
アイコの店
そのあとへんなブチックになったんだよね
OPEN
Miller HIGH LIFE
そのあとカウンターバーになって
不動産屋《ふどうさん》さんになって……

どんどんどーでもいいお店《みせ》になっていくの…
お母《かあ》さんにとっては…でしょ
などと いってたら
街のアゲモノ屋さん 7/30 OPEN!
!!
みかんこの前《まえ》の店ね
ドタドタ.
…
ついに生《い》き返《かえ》ったよ
7/30に「街《まち》のアゲモノ屋さん」オープンだって
ヘェ…少《すこ》しはウチにもカンケーあるかな?
…でも何だろうねアゲモノ屋って……
フライとかばっかり売《う》ってる店…?
おそうざい屋?
街のアゲモノを一手《いって》にひきうけてくれる店だといいよね!!
近所《きんじょ》の主婦《しゅふ》がそれぞれ揚《あ》げてほしいものをもっていくとさ
♪
イモとカボチャ
ドーナツ
コロッケ
トリ

その場《ば》で揚げてくれるの
イモ天《てん》ですね?
油《あぶら》は お菓子用《かしよう》と フライ用と 天《てん》プラ用 に
分《わ》かれていて
ヂビヂビ
プロの揚げ師《し》が 一個《いっこ》から 揚げてくれるのね
ジャッ
♪
はやるね〜 これは
!!
家《イエ》でアゲモノするの 大変《タイヘン》だもん……
そーかな…… そんな店 かなア…?
?
しかし
店は
フツーのおそうざい屋 さんだった…
ここ ハヤって ないね……
だって おいしく ないし……
ヒソ…
ヒソ…
だから あたしの 言《い》うとおり にすりゃ よかったんだって!
そーかなぁ
あきらめきれない母《はは》

No.18

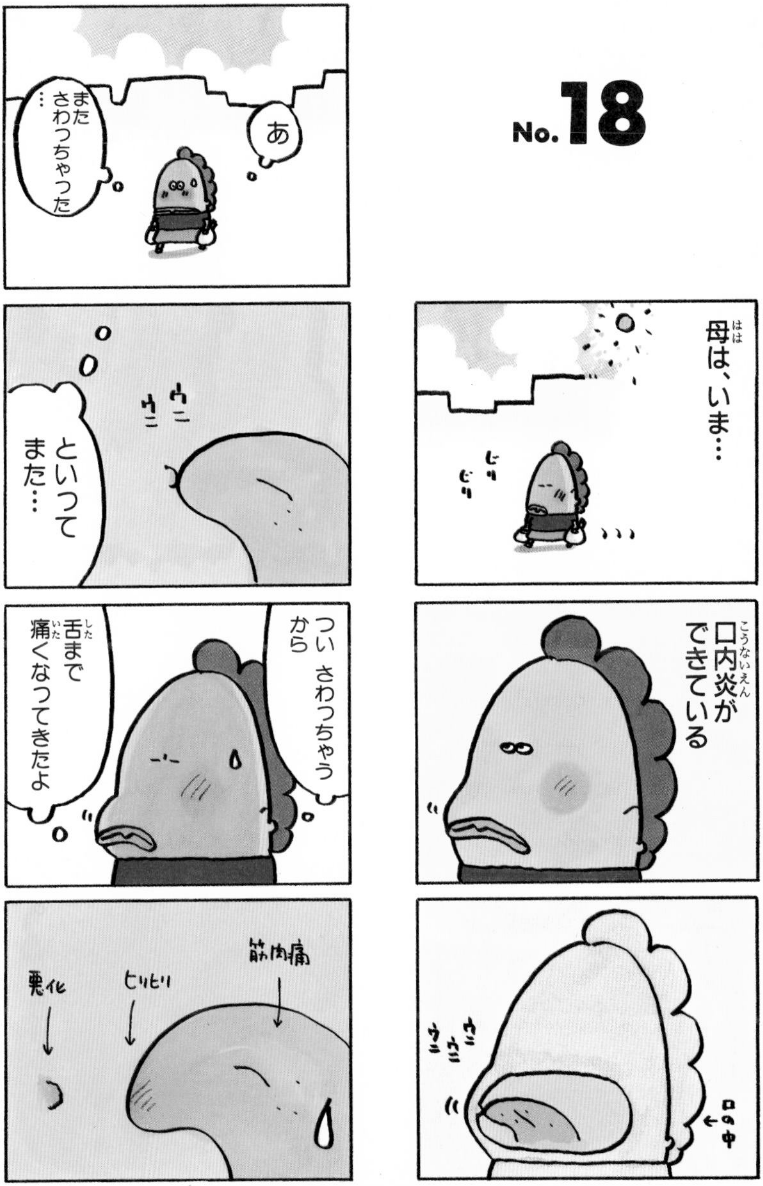

母《はは》は、いま…
ビリ
ビリ
口内炎《こうないえん》ができている
ウニ
ウニ
ウニ
口の中
また さわっちゃった…
あ
ウニ
ウニ
といって また…
つい さわっちゃうから
舌《した》まで痛《いた》くなってきたよ
筋肉痛
ヒリヒリ
悪化

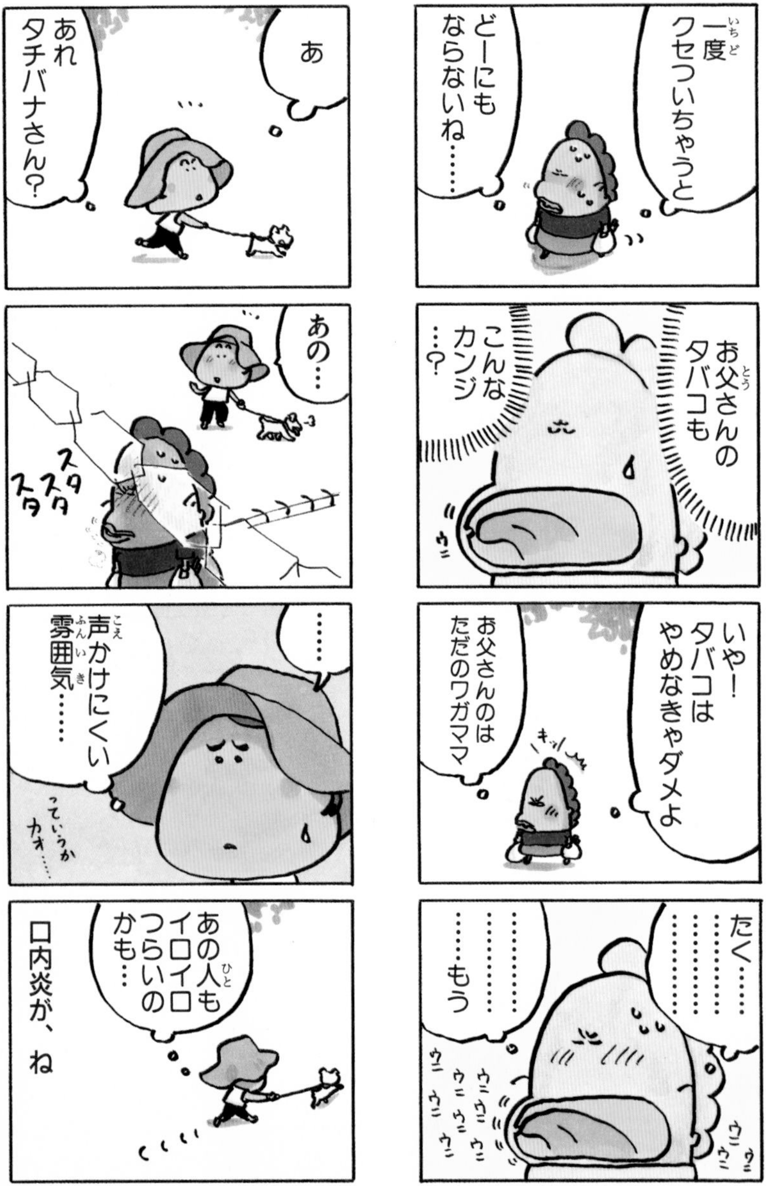

一度《いちど》クセついちゃうと
どーにもならないね……
お父《とう》さんのタバコも
こんなカンジ…?
ウニ
いや!タバコはやめなきゃダメよ
お父さんのはただのワガママ
キッ
たく………………………………もう
ウニ ウニ ウニ
あ
…
あれタチバナさん?
あの…
スタスタスタ
……
声《こえ》かけにくい雰囲気《ふんいき》……
っていうかカオ……
あの人《ひと》もイロイロつらいのかも…
口内炎が、ね

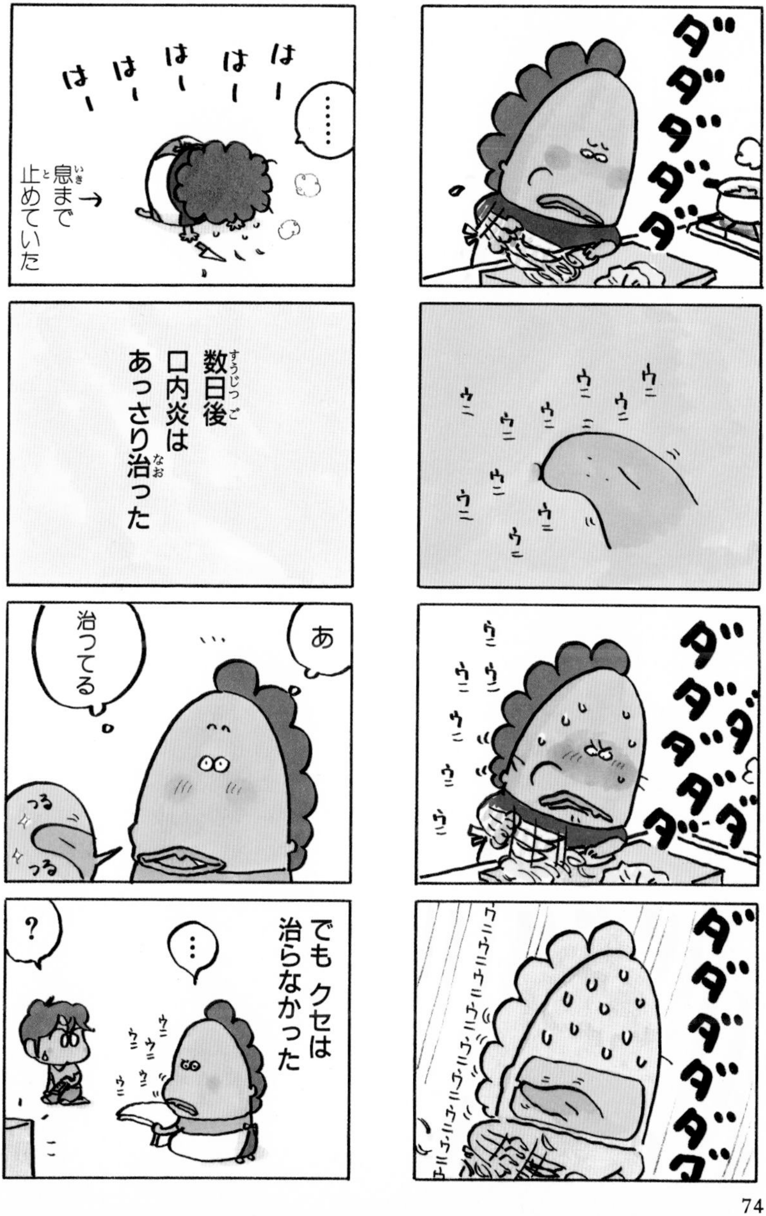
ダダダダダダ
ウニウニウニ
ダダダダダダダダ
ウニウニウニ
ダダダダダダ
ウニウニウニ
はーはーはーはーはー
……
息《いき》まで止《と》めていた→
数日《すうじつ》後《ご》
口内炎は
あっさり治《なお》った
あ
治ってる
つる
つる
でもクセは
治らなかった
…
?

No.19

あ みーちゃん?
…
あ、愛《あい》ちゃん久《ひさ》しぶり!
みんな元気《げんき》~?
まいにちあついけど~
うん
愛ちゃんはむかし住《す》んでたところの近所《きんじょ》の人《ひと》
お母《かあ》さんは大丈夫《だいじょうぶ》?

へ…?
大丈夫…だけど
そっか
よかった
ん………?
なにが…?
みんなによろしくねー
今日《きょう》 愛ちゃんに会《あ》ったよ
ミミミ〜ン
ミミミ〜ン
お母さん大丈夫?だって
えー?
頭のこと かねぇ?
んもう

また愛ちゃんのお母さんだね？
まったく
あの人なんかカンちがいしてて
お母さんのことすっごい体弱《からだよわ》いと思《おも》ってるの!!
がんばれば
きっとよくなるわ…！
え〜〜〜〜〜ッ!?
どーしてェ!?
暑中見舞《しょちゅうみま》いもカラダの注意《ちゅうい》がびっしり書《か》いてあって…
まったくどこで
そう思われてしまったのか…
愛ちゃんママおかしー!!
くくく
別《べつ》の日《ひ》
あ
あー
愛ママ！
どお？調子《ちょうし》は
見《み》てのとおりよ！
ガッハハハ
………
ちょっと…ヤセた…？
……
この前《まえ》本《ほん》でみたんだけど
冷《ひ》えが一番《いちばん》いけないって

…だからね
くつ下《した》は夏《なつ》でも必須《ひっす》よ
スパッツはいてくつ下も毎日《まいにち》はいてるの
くどくど
ホラ みて あたし
ここを冷やしちゃダメ
こういうことバカにしちゃダメよ
おふとんの下にマットレスしいてる？
ゴー
一度《いちど》ためしてみて
くどくど
くどくど
くどくど
ゴーーー
メシは？
ハッ
あー…
いけない いけない いけない
心《こころ》のブレーカーが落《お》ちてた
なんだそりゃ
今日帰《かえ》り坂田《さかた》さんに会ってな
愛ちゃんパパ
ぴく
奥《おく》さんをいたわってあげてください！
とか言《い》われたぞ
何《なに》を言ったんだおまえは？
あたしが知《し》りたいくらいよ〜〜〜

No. 20

となりの駅《えき》まで買《か》い物《もの》に
服《ふく》ちょっとテキトーすぎた？
ヨミドラッグ
なつやすみはどーもね
あ。
SALE
SALE

春山《はるやま》…
なぜか…
ススッ
……
……
スス
ススス
!?
いかんいかん
何《なに》逃《に》げてんだ…
服がこんなだとはいえ
あいさつやりなおしつ…と
どこいった？

いた
フッ…
スタ スタ スタ
あれ?
今《いま》、いつしゅんこっち見《み》たよーな…
私《わたし》に気《き》がつかなかったんだよね…?
…
ビミョーな間《ま》だったけど
モヤモヤ
…
これからは知《し》り合《あ》いを見《み》ても
逃げるのやめよう
なさけない決心

みかーーん!!
!?
ひさしぶりー
あ 春山ふぶき
名前そんな大声でイヤン…
帰《かえ》るトコーー?
そーそー
↑小声《こごえ》
やっぱ春山はさわやかなヤツだった!!
じゃーねー
また学校《がっこう》でねー
うんバイバーイ
バイバーイ
その服かわいーよー
服のことはゆーなー
早《はや》く電車《でんしゃ》きてー
終了…
?!
もう自己《じこ》の世界《せかい》
←
…
さ さわやかすぎる……!

No.21

よーやく夏《なつ》もおわりか……
いまごろ夏バテている母《はは》
ふー
ピンポ〜ン
は〜い
う〜〜
よいっしょ
もしもしっ
玄関《げんかん》だ玄関!
ハンコおねがいしま〜す
ヒーハー
…イナカからかつおぶし送《おく》ってきた
ガボン
チョキン

どーした
なんかしらん…
落《お》ちたわ…
このカツオブシでダシをとることに
たまにはチャンとね
……
はー
……
……
ゴワー
ざざっ
ざー
あ
ああ〜〜〜
今度《こんど》はなんだ
ダシ汁《じる》とるつもりが…
あたし…
汁のほう流《なが》しちゃった……
かつぶしのこして
ばっ
…かだな〜

ソーメンぼけかしらぁ〜〜〜
もー寝《ね》てろおまえは
はっは
今年《ことし》の夏ボケはひどかったわー
暑《あつ》かったものね〜〜〜
そうよ〜
あ、私《わたし》そろそろ…
失礼《しつれい》するわ
スッ…
だめよっ
バッ
バッ
あ
今日《きょう》はあたしが払《はら》うわよ
いーのいーの
いーえ!
ガムシロ代《だい》だけでも!
領収書《りょうしゅうしょ》のおあて名《な》は?
「三角《みすみ》クリニック」で…
へーキここは経費《けいひ》でおとせるから♡
でも〜
このとき、この人《ひと》も夏ボケていた
領収証
スミスクリーニング様
¥2,100-
わるいわねー
ごちそうさま
だいじょぶよー

No.22

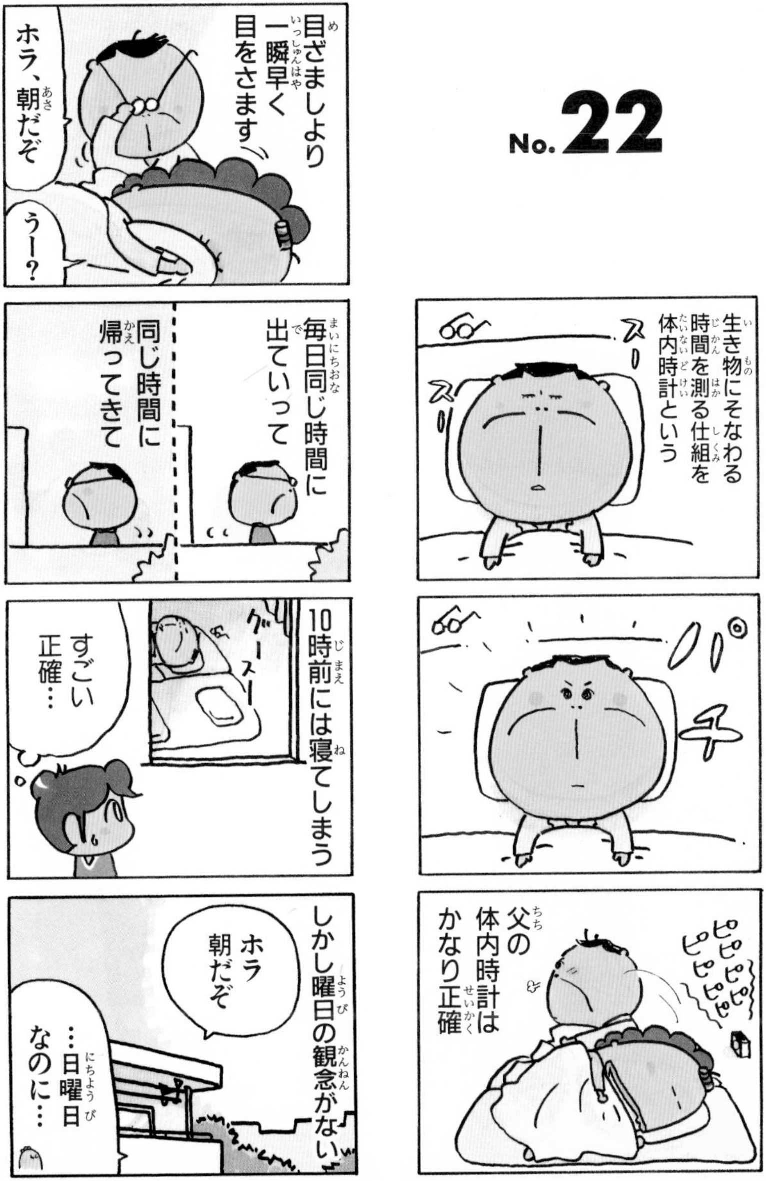
生《い》き物《もの》にそなわる時間《じかん》を測《はか》る仕組《しくみ》を体内時計《たいないどけい》という
スー
スー
パチ
父《ちち》の体内時計《たいないどけい》はかなり正確《せいかく》
ピピピピ
ピピピピ
目《め》ざましより一瞬早《いっしゅんはや》く目をさます
ホラ、朝《あさ》だぞ
うー？
毎日同《まいにちおな》じ時間に出《で》ていって
同じ時間に帰《かえ》ってきて
10時前《じまえ》には寝《ね》てしまう
グースー
すごい正確…
しかし曜日《ようび》の観念《かんねん》がない
ホラ朝だぞ
…日曜日《にちようび》なのに…

母《はは》の場合《ばあい》
スピー
ス…
グ
買《か》い物行《い》こ…
おおむね
ハラ時計で動《うご》いている

ユズヒコの
モヤモヤ時計
モヤッ
モヤ
勉強《ベンキョウ》…
モヤッ
モヤ
宿題《シュクダイ》
予習《ヨシュウ》
明日の
英語は
当《ア》たるゾ…
モヤ
英語《エイゴ》
数学《スウガク》の
テスト
連立方程式《レンリツホウテイシキ》
！
モヤ
当たる…
モヤ
英語…
数
しゃーねー
やろ
モヤモヤが部屋《へや》に
充満《じゅうまん》すると勉強《べんきょう》する

さて…
スッキリ…
ん？
フー
モヤモヤリセット
みかんの場合体内時計は
妖精《ようせい》まかせ…
しみちゃんと3時にまちあわせ
せっせ せっせ
はい
今《いま》3時!!
ちょうどまちあわせの時間よ!!
せっせ せっせ
ん?
ちょうど…って
だめじゃん
ウソーーッ いつ3時になったの!?
さっきは12時だったのに!!
それぞれの体内時計
ごめ〜ん
もーなれてます

No.23

……
……
尻《しり》がかゆい!!
かけよ
うん
ボリ
ボリ

でもよー
ウエトってかわいーよなーーッ
そお?
「思考《しこう》だだもれ男《おとこ》」藤野《ふじの》
だだ
もれ
♪キンコ～ン
サッ
サ
…

だ〜〜
そーじだりーなーッそーじ
…
ほっ
はっ
よっ
おまえってホント思考だだもれな
おー
芸風《げいふう》だからな

えそーなの
そーそー
なんつーの？
わざと!?
つまり…
黙《だま》ってたってしょーがないから!!
なッ？
…そーか？
あれッ!?
オレ今《いま》すげーいいこと言《い》ったのに！
ガーン!!
深《ふか》いだろ!?深いんだよ!!
あのさー
ちょっ

このゴミ
捨《す》ててきちゃっていい？
…
あ
いーよ
じゃいってくるね
スドーちゃん…
…
藤野がだまった……？
もーーー♡
わ何《なに》をする
カサイ〜!!
ヤスイ〜!!
ドーン
ドシーン
いでっ
なんだよっ
仕事《しごと》きっちり♬
いってー…なんなんだ…
？
？
口《くち》に出《だ》せないことは
体《からだ》であらわす
藤野だった

ていうか これ
…くすぐったくない？

No.24

近所《きんじょ》に とうとう リフレクソロジー できたでしょ？
あたし 行《い》ってきたの
ジャーン♪
半額券《はんがくけん》 ゲット したわよ いる？
ああ 足《あし》モミのこと！
50%OFF
……
あら… 興味《きょうみ》 なかった？
ブ
くすぐったい わけない じゃない 痛《いた》いわよ！ むしろ
ヒー
ホント？
でも コチョコチョ なんて…。
しない しない！
絶対《ぜったい》 大丈夫《だいじょうぶ》
痛キモチよくて ねむっちゃうわよ！

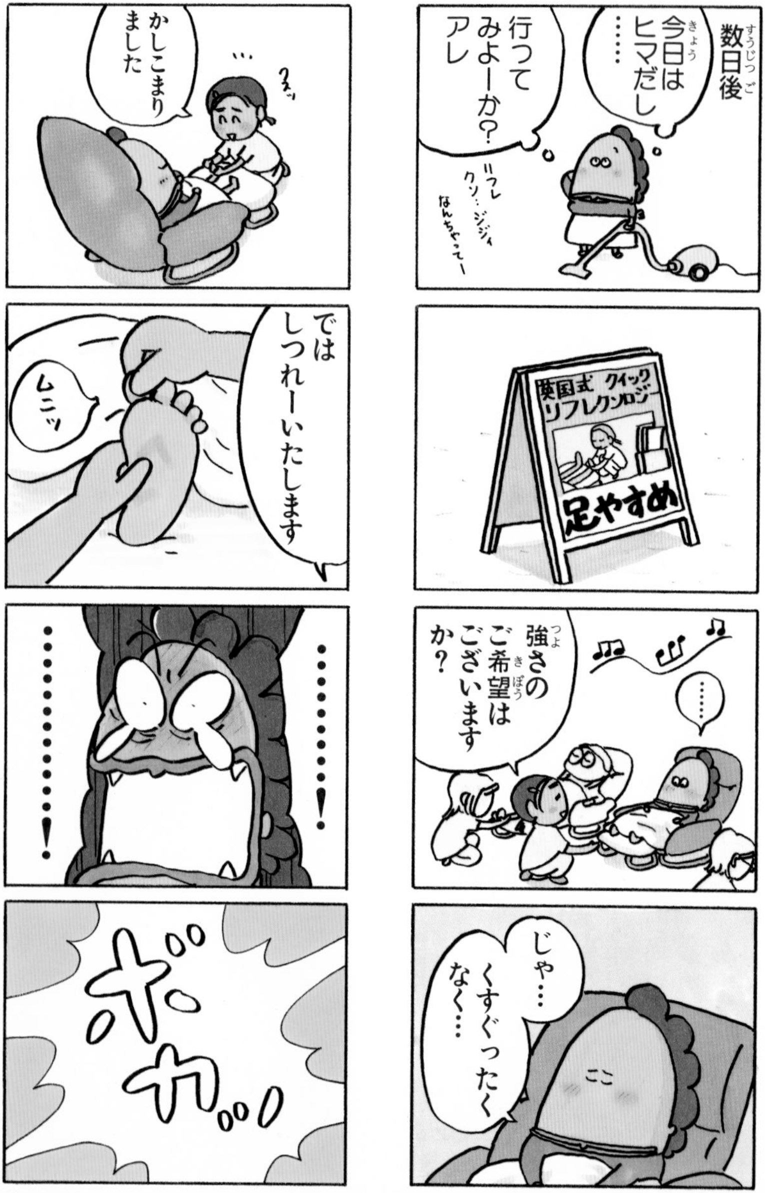
数日後《すうじつご》
今日《きょう》はヒマだし……
行ってみよーか?アレ
リフレクソ…ジジィ
なんちゃってー
英国式 クイック
リフレクソロジー
足やすめ
強《つよ》さのご希望《きぼう》はございますか?
……
じゃ…くすぐったくなく…
かしこまりました
スッ
…
ではしつれーいたします
ムニッ
……………!
……………!

……
だ、だいじょぶ?
〜〜〜
失礼《しつれい》しました!
強すぎましたネ
力《ちから》を弱《よわ》くさせていただきます!
す
すいません…
いえ大丈夫ですよ
ゆっくりおやすみくださいネ
ふごぐつ
痛《つう》ッ
モミ
モミ
モミ
ここは胃《い》の反射区《ハンシャク》なんですネ
ここのグリグリがとれると胃もスッキリしますよー
モミ
モミ
なので…
ヒッヒッフー
ヒッヒッフー
このお客《きゃく》さん……
ラマーズ法《ほう》で痛みを逃《にが》してる……!
ヒッヒッ
ヒッヒッ
フー
フー
……プッ
ヒッヒッ
フー
母《はは》はその日《ひ》「伝説《でんせつ》の客」になった………

No.25

うんしょっ
ギュッ
ギュッ
うーん…
もう この袋《ふくろ》には入《はい》んないか…
ザザッ
あたらしいの

……
ザッ
ザッ
ねェ
みかんゴミある?
んっ?
あるよー
おーラッキー
あ、なんだこれだけ?
しけてるわねー
何《なに》言《い》ってんの?
ラッキーとか しけてるとか…
パラ…

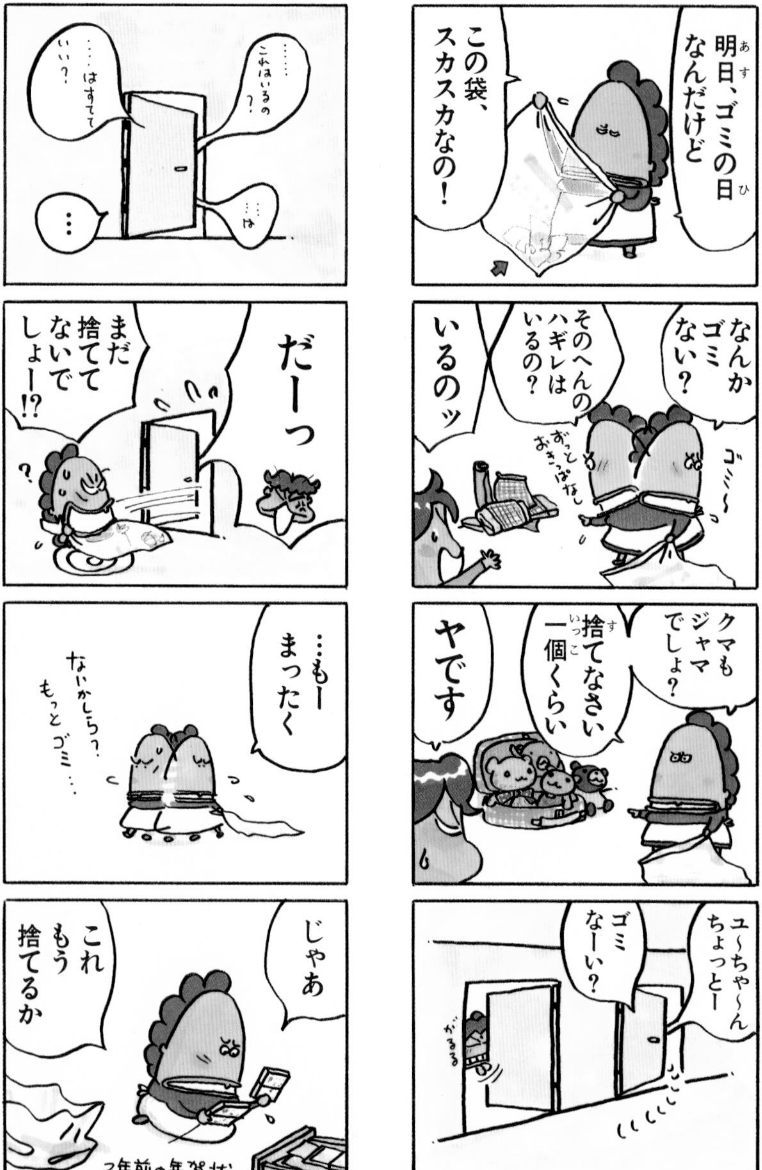

明日《あす》、ゴミの日《ひ》なんだけど
この袋、スカスカなの！
なんかゴミない？
そのへんのハギレはいるの？
ずっとおきっぱなし
ゴミ〜
いるのッ
クマもジャマでしょ？
捨《す》てなさい一個《いっこ》くらい
ヤです
ユ〜ちゃ〜んちょっとー
ゴミなーい？
がるる
……これはいるの？
……はすてていい？
……は
…
だーっ
まだ捨ててないでしょー!?
？
…もーまったく
ないかしら？もっとゴミ…
じゃあ
これもう捨てるか
2年前の年賀状

あ、コレもあった
これも中味《なかみ》出して
ラッキー♡
旅《たび》パンフ
切手《きって》のはしっこ
ビスケット
あったまいーー!!
残《のこ》り少《すく》ない洗剤《せんざい》はーー
ビンにうつして
空《あき》箱《ばこ》ポイ
明日使《つか》うジャガイモはむいといて
皮《かわ》をポイ
いつかは食《た》べるリンゴもーー
ムキムキポイ
コラッ
家《いえ》ン中《なか》、削《けず》りすぎて血《ち》ィ出《で》てるよ!!
いやーたまったたまった
でも見《み》てごらん…
ホラ家の中がスッキリ…
ゴミ袋は充実→
そして
ウ〜イ…
捨て上戸《じょうご》の父《ちち》が総仕上《そうしあ》げ
これはいらん!
ポイポイ
あーそれは!!

No.26

2年《ねん》の女子《じょし》体育《たいいく》は秋《あき》に「創作《そうさく》ダンス」をする
おーい
いよいよ…
グループに分《わ》かれて発表《はっぴょう》します
制限時間《セイゲンジカン》は5分《フン》
振《ふ》りつけも音楽《おんがく》も自由《じゆう》ですから
来週《らいしゅう》までにまずテーマを決《き》めること
テ〜マ〜!?
テーマかあ〜……!
どーする?ウチら
…
……
春山《ハルヤマ》
だいたい創作ダンスって何《なに》?
先輩《せんぱい》に聞《き》いたけどジャズダンスもバレエもまぜてOKだって
ふ〜ん
あたしもそれきいた
じゃあたしは…
オーケー!
レッツ
ゴー
あれがやりたいナ
……

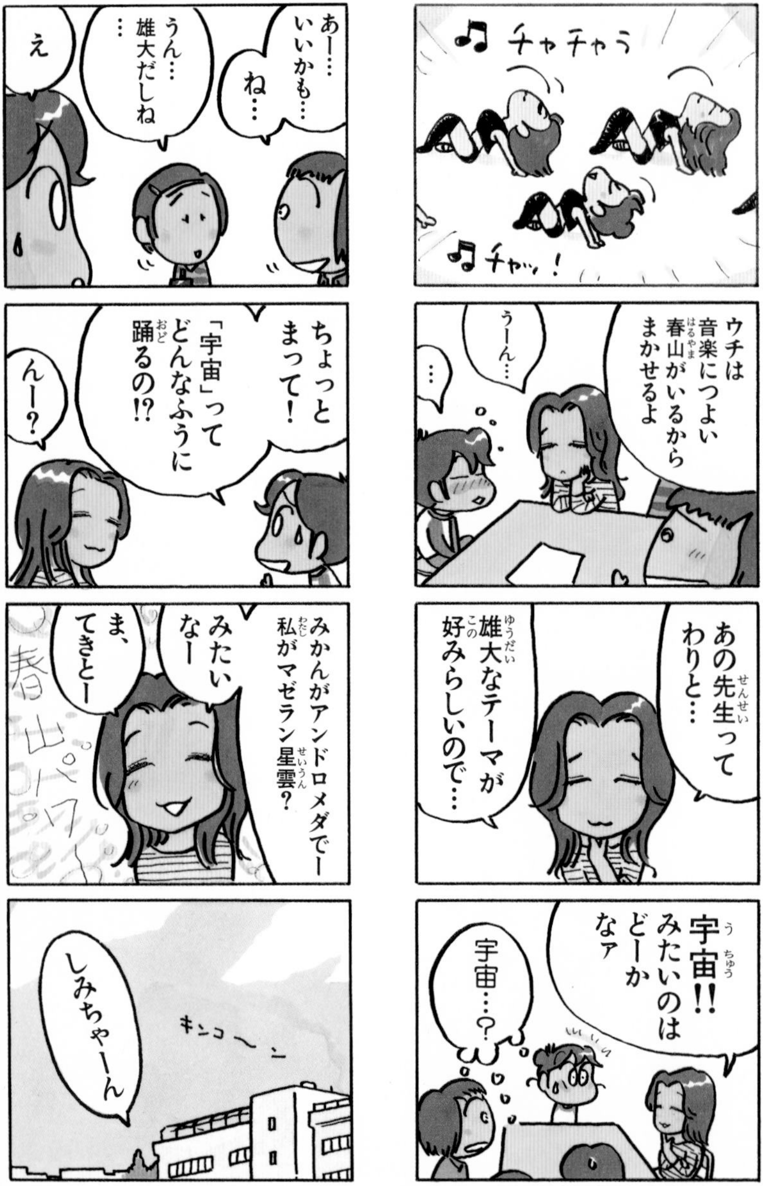

♪チャチャラ
♪チャッ!
ウチは音楽につよい春山《はるやま》がいるからまかせるよ
うーん…
…
あの先生《せんせい》ってわりと…
雄大《ゆうだい》なテーマが好《この》みらしいので…
宇宙《うちゅう》!!みたいのはどーかなァ
宇宙…?
あー…いいかも…ね…
うん…雄大だしね…
え
ちょっとまって!「宇宙」ってどんなふうに踊《おど》るの!?
んー?
みかんがアンドロメダでー私《わたし》がマゼラン星雲《せいうん》?
みたいなー
ま、てきとー
しみちゃーん
キンコ〜ン

しみちゃんのグループはテーマ　どうなった？
聞いてもつまんないよ……
なに？
「森林《しんりん》の再生《さいせい》」
わっなんかウチと似《に》てる！
クマやリスが森《もり》を守《まも》るストーリーなの…
わかるーマジメすぎー抽象的《ちゅうしょうてき》ー
なんかつまんないでしょ？
聞いた？
村井《むらい》のグループは「晩《ばん》ごはんのおかず」だって！
アハハハハ
超《ちょう》いい!!　それ!!
すごい
だよねーそういう具体性《ぐたいせい》っていうかさ
必然性《ひつぜんせい》ありげなテーマがいーよねやっぱ
そう必然性！
みかんはどういうのやりたかったの？
あたしはね富士武《ふじたけ》のCM!!
具体性も必然性もない
え？
？

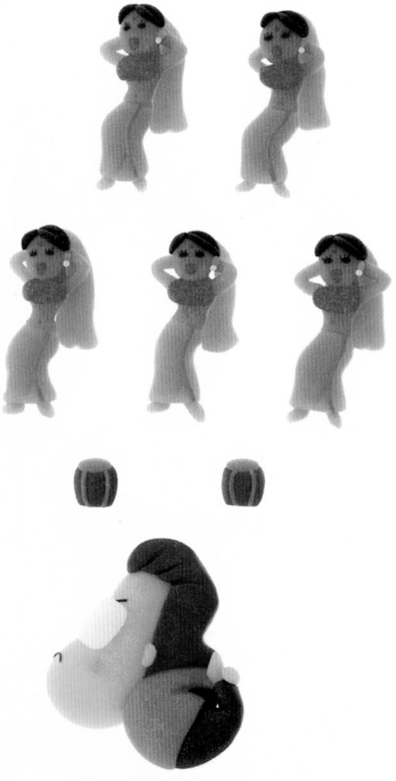

No. 27

日曜日《にちようび》
ちょっと出《で》てくるから
んー
カチャ…
ヨミウ～リ行《い》くんでしょ？
……
ちょっとまって！あたしも行く

ショッピングセンター「ヨミウ～リ」
YOMIURI
今日《きょう》はお父《とう》さんのもの買《か》うだけだからね
うんうん
タター
お、コレカワイイぞ
コレも

お会計
あ
♪
ポイ
タター
……
ちゃっかりしてんだから！
こういう時《とき》、なにげに甘《あま》い母《はは》をみかんは知《し》っている
エッヘッヘ
あ、ねーお母《かあ》さんこのお皿《さら》かわいくない？
皿はウチにあるでしょ！
ねーウチのくだものカゴこーゆーのにしてみない？
してみないよ！
ねー このタイルの鍋《なべ》しき…
あるある！
ウチにあるっ！
ちえっ…
もっとこう新《あたら》しい文化《ぶんか》をウチに持《も》ちこみたいんだけどナ
あ〜
くまのカンカン
↑文化《ぶんか》？

ウッソー これ かわいー
これは 買って もらおう
あれ？
お母さん？
どこ？？
お母さーん!!
お母さーん？？
何才？
いた!!
あッ
おそかりし…
もどしてきなさい！ そんなの
まったく、親《おや》に金使《かねつか》わせることしか考《かんが》えてないんだから
…
言《い》うなりなってたらたいへん!!
プリプリ
そしてこういう時
ずし
お米買っとこうかな……
ビンもの ビンもの…
あっ
そんなメンツユばっか買わなくていいよ!!
つゆ
なにげにイジワルな母をみかんは知っている
わざと重《おも》いの買ってる？
はい
ズシッ

No.28

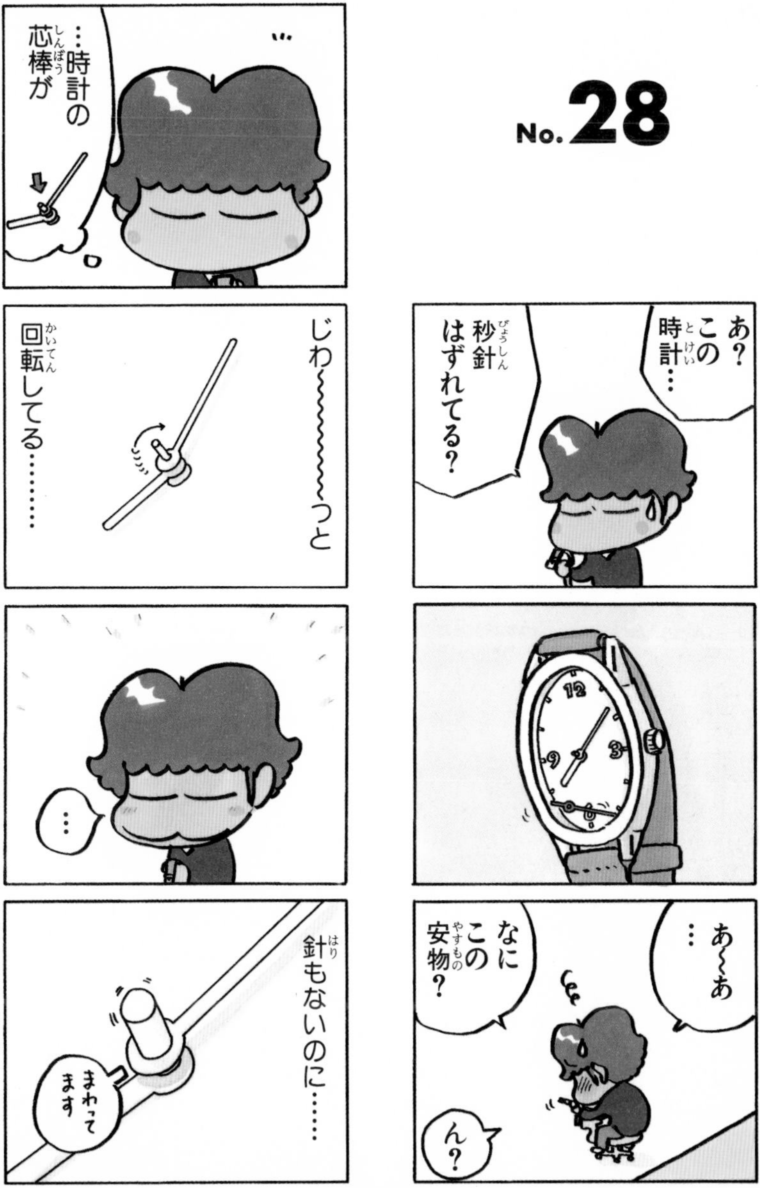
あ？この時計《とけい》…
秒針《びょうしん》はずれてる？
あ〜あ…
なにこの安物《やすもの》？
ん？
…時計の芯棒《しんぼう》が
じわ〜〜っと
回転《かいてん》してる……
…
針《はり》もないのに……
まわってます

ユズヒコはいつも一人《ひとり》で笑《わら》っている
ブハッハッ
腹《はら》へった……
なんかねーかな
パッカン
？
ぜんぶ乾燥剤《かんそうざい》!?
強力 乾燥剤
たべられません
Silicagel
なんだ
母《はは》の集《あつ》めたせんべい等《など》の乾燥剤
すごいせんべい食《ぐ》い!
ん…？
いまこいつら……
乾燥剤どうしめいっぱい乾燥しあってる…
カンソーしてます
クスッ

別《べつ》の日《ひ》
古《ふる》い洋服《ようふく》はどんどん処分《しょぶん》して
参勤交代《さんきんこうたい》させなくちゃ!
ねー
…
??
ブッククッ
それは、しんちんたいしゃ
別の日
アルミホイルは、と
ホイル
?
グワッシャ★
……
なんだこりゃ…?
ホイル
ホイル
③
①
②
カラン
コロコロ
④
はいんない…
!
…だな
ブハ
かなり幸《しあわ》せ者《もの》

No.29

あの人《ひと》…ちょっとひどくない?
だってさー…
と私《わたし》が怒《おこ》っても
まぁいいじゃん
怒りなさんな!
しみちゃんは冷静《れいせい》だ
…お肌《はだ》に悪《わる》いよ
…
♪

別《べつ》の日《ひ》
ギャハハハ
サイコー!!
は~ア
さすさす
さすさす
しみちゃんひょっとしてシワ気《き》にしてる?
くりっ
なに?
あたしが一生《いっしょう》つけたくないシワ、第一位《だいいちい》はね
みけんのシワ!
次《つぎ》にここのシワ!

シワに順位《じゅんい》ついてる!
はは…
なるほどねー
別の日
……
…
しみちゃん!すごいシワよってる!ココ…
えっウソ!
ささっ
さす さす さす…
やっぱ〜い
本《ほん》を読《よ》むときは、どうしても…ね
いや、ダメ!そんなの許《ゆる》さない!!
くりっ
お、さすが…
…
……
……
……
じつは暗い本
ペラ
ブハッ
ああああ〜〜〜
どした?

この顔《かお》だと何《なに》読んでもバカバカしくて…!
そりゃそーだろべ…
また別の日
……
たてヒザ
しみちゃん…
それ、骨盤《こつばん》に悪《わる》いんじゃないの?
まえ、じぶんでいってたヨ
えっ
あ
そーか
いかんいかん…
逆《ぎゃく》の足《あし》を立《た》てればゆがみもなおるし
そーなんだ…
5分後《ふんご》
あれっしみちゃんまた右《みぎ》足立ててるよ
あと みけんにシワ!
えーっウソーッ
あたしとしたことがーッ!!
みけんみけん!!
くりっ
…しみちゃんその本読めてる…?
シワと戦《たたか》う女子《じょし》高生《こうせい》

No.30

文化祭《ぶんかさい》まぢか!
あ~
クマ作《づく》りが
間《ま》に合《あ》わない
……!
あと3ツ
……
できるかって……
ジャ~
うわ!
ちょーどよかった
ジャ

ね、一生《いっしょう》のお願《ねが》い!!
クマ作り
手伝《てつだ》ってくれない!?
ねっ!?
ねっ?
……
ギロッ
どーして
こうせっぱ
つまるまで
やらない
の!?
し~ま
せ~ん…

少《すこ》しずつやっとけば困《こま》らずにすんだのに!!
あーハイ…
チクチクチクチクチク
ババババ
みかんはいっつもそう!
なんでも一度《いちど》にやろうとして
テストだって一夜《いちや》づけ!!
うう…
ババババババババ
だから失敗《しっぱい》すんでしょ!!
地道《じみち》にやりなさいっ!!
……ポンポン言《い》わないでェ〜……
チョキチョキ
チクチクチク
ババババ
母《はは》の説教《せっきょう》パワーで
くま 無事完成《ぶじかんせい》!!
富士武ぐま
東儀くま
やすきぶし
別《べつ》の日《ひ》
おみおつけまだー?
ハイ今《いま》できた
おわっ
ちっち
熱《あつ》くてもてない
……
がし

ダッ!
ダンッ!
はアッチ!
フーフーフー
はっ
はアッチ!!
だしん〜!

はー熱《あつ》かった
みかん今《いま》の見《み》た?
?
みそ汁《しる》の運《はこ》び方《かた》よ!!
お母《かあ》さんは短《みじか》く区切《くぎ》るから、熱くても運べるでしょ
少しずつやれば何《なん》でもできるのに!!
こないだのクマは何《なに》!?
前《まえ》の説教のつづき!?
すべてを説教にもちこむ母

No.31

秋《あき》です…
秋ってキライだよ
なんかもの悲《かな》しくてさ
ウン…
秋ってなんでこんなに悲しいんだろーね？

あとちょっとで今年《ことし》が終《お》わっちゃうからじゃない？
あ〜それかも
あたしって終わりに弱《よわ》いのかも〜
中学《ちゅうがく》の修学旅行《しゅうがくりょこう》の時《とき》もさ
すっごく楽《たの》しかったんだけど…
帰《かえ》りの新幹線《しんかんせん》で
ゴー
あ…横浜《よこはま》
もうすぐ着《つ》いちゃう…

………
ゴー
もう終わりなのか…修学旅行
ぽろぅ
グ～
キャッ
みんな寝《ね》てて気《き》づかなかったけど
ごしごし
あーねー
すごいでしょ
帰りの電車《でんしゃ》で泣《な》くほど悲しがってんの
みかんは感受性《かんじゅせい》がスルドイのかね
えっ?
パァ…
感受性がスルドイ
…そーかな?
好《す》きなドラマが終わっちゃう時も泣くよ
ああ終わっちゃう…
あはは!
END
笑うラスト
はぁ～～～…
明日《あした》から何《なに》を楽《たの》しみに生《い》きていきゃいーの…?

アハハ
あるね
それ！
ねー
やっぱ
感受性
スルドいとねー
アハハ
あとさ
頂《いただ》き物《もの》のジャム
ルーベリージャム
あー
もう
ない！
カリッ
カリッ
……
カリッ
カラン
カリ
カラ
カン
カラン…
……
フタまでこそげた
すごくおいしい物《もの》を
食《た》べ切《き》つた時も
ちょつと泣く
……
やっぱ
しみちゃんも
ある？
そーゆーの
それは感受性
というより…
執着心《しゅうちゃくしん》が強《つよ》い
ってことなのかも…
えっ
…
うーむ

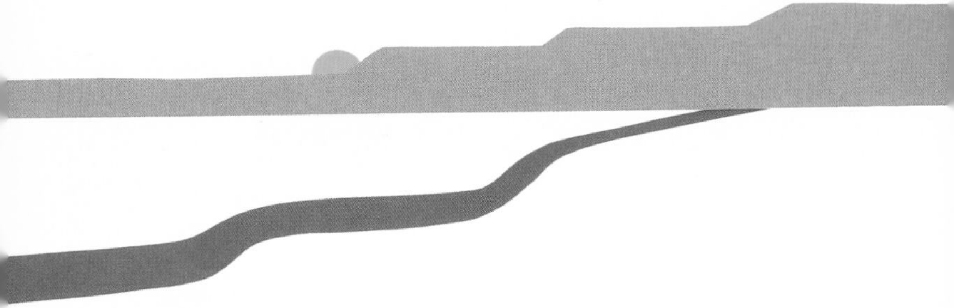

No.32

お父《とう》さん
ちょっと頭薄《あたまうす》くなったね
……
そーか？
このへんがスカスカってカンジ……
ふーん

スカスカ…？
ジャ
……？
？
！
手《て》ざわりがちがう！
スッ…
ゴワゴワ
ほォ…
ほォ…

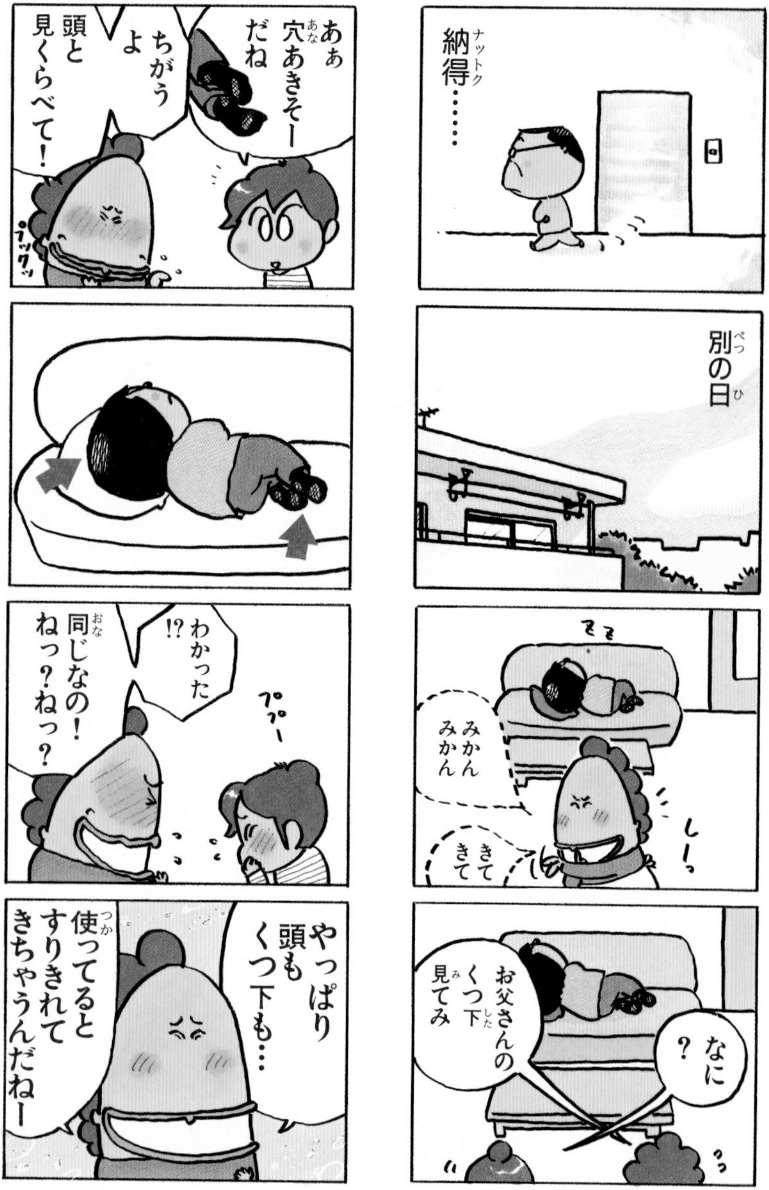
納得《ナットク》……
別《べつ》の日《ひ》
みかん みかん
きて きて
しーっ
お父さんのくつ下《した》見《み》てみ
なに?
あぁ 穴《あな》あきそーだね
ちがうよ 頭と見くらべて!
わかった!?
同《おな》じなの!ねっ?ねっ?
やっぱり頭もくつ下も…
使《つか》ってるとすりきれてきちゃうんだねー

いっしょにするな
あ びっくりしたー
起《お》きてたんだー
なあにお父さん
ホントは頭のこと気《き》にしてたの？
別《べつ》に
気にしてないが
お母《かあ》さんは気にならないの？
妻《つま》として
あはは
ぜんっぜん
どーぞお父さんの好《す》きなよーに薄くなってってってカンジよ！
あたしもだナー
…
気にはしてないが…!!
人の頭のことほっとけ!!
――と言《い》いたい父《ちち》だった
…
ユズヒっはどーだろ？
いやっだーみたくなーい

「あたしンちNo.1～No.32」読売新聞日曜版 2001年4月～2001年11月に掲載。

あたしンち特別編

あのときのアイツ

小《ちい》さいころ
ユズが住《す》んでいた
公団住宅《こうだんじゅうたく》に
サトシ君《くん》という
友《とも》だちがいた
キシャー
…ダシーン
キシャー
…ダシーン
シャゲー!
シャゲー!
いつも怪獣《かいじゅう》ごっこ
などをして遊《あそ》ぶ
シャゲー!
バサノッ
キシャアア
ー!
なぜか
二人《ふたり》とも
怪獣…
バコーーン

でやっ
シャ…
グブブブ…
ドサ
ブク ブク ブク
アハハハ
すげー
アワ!!
へへへ…
つばな
ユーちゃん

サトシ君に引《ひ》っ越《こ》しのことも言《い》った?
…
ちゃんとさようなら言わなきゃね
今《いま》まで遊《あそ》んでくれてどうもありがとうって
…
ブー
サトシ君はカギっ子《こ》
カチャ…
今、トリはなしてるからスグ入《はい》って!
バタン
バタ
バタ
バタ
ベタ
ホラこいこい…
トリ少《すこ》し苦手《にがて》
ほら、こうするとどんどん登《のぼ》ってくるんだぜ~
ホラッ
…あの

あ
ユーちゃん
あんまトリ
好《す》きじゃない
のか…
…
かわいーのに
えっ
まだ
あいさつ
してないの
?!
…
…
ひっこしの日《ひ》は
時《じ》間《かん》ないよ!
あ、そーだサトシ
…
これ
言わなきゃ
↖サトシ母《はは》
ユズヒコ君ち
引っ越しちゃうん
だって!
カリ
カリ
カリ…
…ずっと?
引っ越しっ
つったら
ずっとだよ
フツー!
バカだね
サー
トー
シー
くん!

あ
ユーちゃん
入れよ
サトシ君
あのさァ…
ユーちゃんンち
引っ越すんだって？
……ん
…………
あのさー……
ちょっときて
最後《さいご》に
おまえに
!?
オレがうんこするとこ
見《み》してやるよ！
！
……
……
う〜〜〜ん…
う〜〜〜ん…

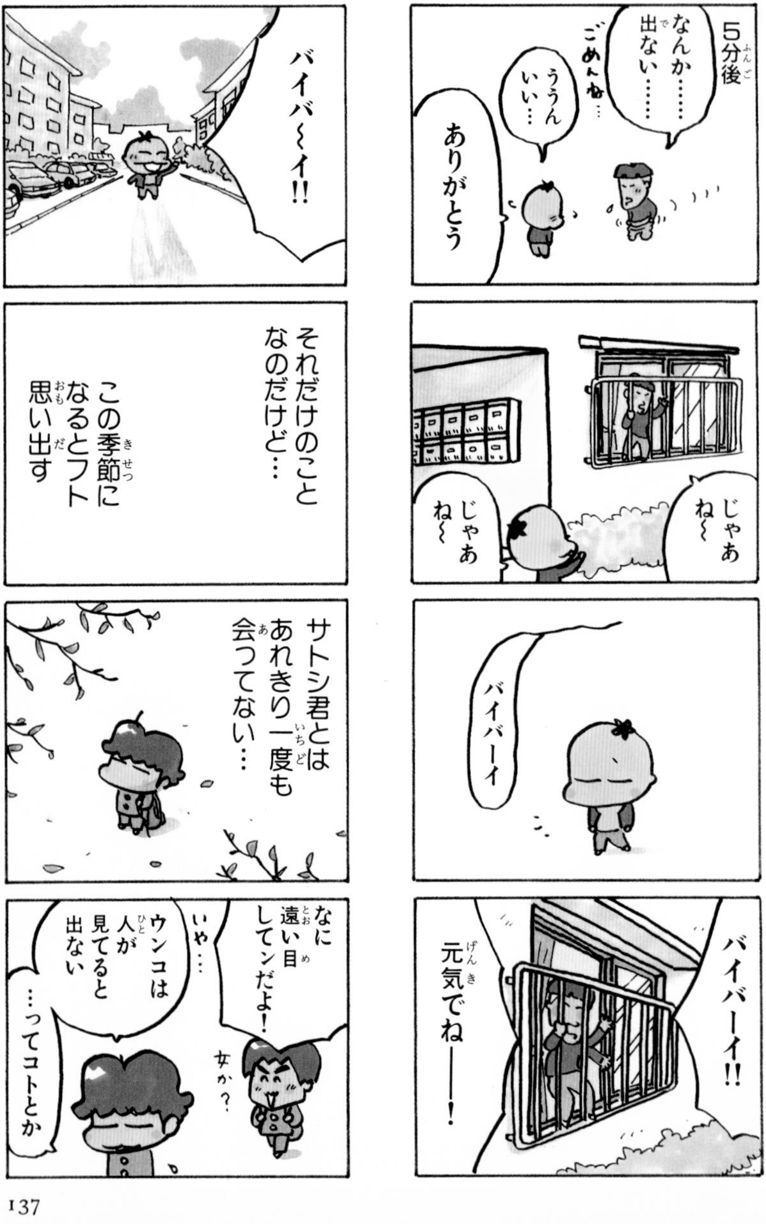
5分後《ふんご》
なんか……出《で》ない……
ごめんね…
ううんいい…
ありがとう
じゃあね～
じゃあね～
バイバーイ
バイバーイ!!
元気《げんき》でね――!
バイバ～イ!!
それだけのことなのだけど…
この季節《きせつ》になるとフト思《おも》い出《だ》す
サトシ君とはあれきり一度《いちど》も会《あ》ってない…
なに遠《とお》い目《め》してンだよ!
女か?
いや…
ウンコは人《ひと》が見てると出ない
…ってコトとか

ダンスの変型ポーズ

英雄のポーズ

片脚立ちのポーズ

牛面のポーズ

合蹠座のポーズ

体側伸ばしの変型ポーズ

コブラのポーズ

英雄の変型ポーズ

魚のポーズ

装幀=関 善之＋星野ゆきお for VOLARE inc.
人形=森井ユカ
撮影=山路和徳（オウル）

ハトのポーズ

弓のポーズ

V字バランスのポーズ

体側伸ばしのポーズ

くつろぎのポーズ

卍の変型ポーズ

猿王の変型ポーズ

合掌樹木のポーズ

ねじりのポーズ

新聞タイトルカット集

1997～2000

1998.11

1998.5

1998.12

1998.5

1997.12

1999.1

1998.6

1998.1

1999.2

1998.7.8

1998.2

1999.3

1998.9

1998.3

1999.4

1998.10

1998.4

1999.5

1999.6

1999.7

1999.8

1999.9

1999.10

1999.11

1999.12

2000.1

2000.2

2000.3

2000.4

2000.5

2000.6

2000.7

2000.8

2000.9

2000.10

けらえいこPROFILE

1962年　東京に生まれる。
モノゴコロがつくのが遅く、茫漠《ボーバク》とした少女期をすごし、現在にいたる。
著書に『たたかうお嫁さま』『いっしょにスーパー』『あたしンち①〜⑪』『7年目のセキララ結婚生活』(メディアファクトリー)『おきらくミセスの婦人くらぶ〜』『セキララ結婚生活』(講談社文庫)などがある。

夏、漫画家仲間と山に登りました。

あたしンち第11巻

2005年11月9日　初版第1刷発行

著　者＝けらえいこ（ママレード・カンパニー）
発行者＝斎藤幸夫
発行所＝株式会社 メディアファクトリー
東京都中央区銀座8-4-17　〒104-0061
☎0570-002-001

印刷・製本所＝図書印刷株式会社

ISBN 4-8401-1420-X C0079